QUEL AVENIR POUR LA LANGUE FRANÇAISE ?

Jean-Louis Roy

QUEL AVENIR POUR LA LANGUE FRANÇAISE ?

Francophonie et concurrence culturelle
au XXIe siècle

HURTUBISE
HMH

Catalogage avant publication de Bibliothèque et Archives nationales du Québec et Bibliothèque et Archives Canada

Roy, Jean-Louis, 1941-

Quel avenir pour la langue française?: Francophonie et concurrence culturelle au XXIe siècle

Comprend des réf. bibliogr.

ISBN 978-2-89647-152-2

1. Français (Langue) – Mondialisation. 2. Francophonie. 3. Français (Langue) – Aspect politique. 4. Culture et mondialisation. I. Titre.

PC2073.R69 2008   306.44'90917541   C2008-941602-3

Les Éditions Hurtubise HMH bénéficient du soutien financier des institutions suivantes pour leurs activités d'édition:
• Conseil des Arts du Canada
• Gouvernement du Canada par l'entremise du Programme d'aide au développement de l'industrie de l'édition (PADIÉ)
• Société de développement des entreprises culturelles du Québec (SODEC)
• Programme de crédit d'impôt pour l'édition de livres du gouvernement du Québec

Conception graphique de la couverture: Anne Tremblay
Maquette intérieure et mise en page: Martel en-tête

Copyright © 2008, Éditions Hurtubise HMH ltée

Éditions Hurtubise HMH ltée   Librairie du Québec/DNM
1815, avenue De Lorimier   30, rue Gay-Lussac
Montréal (Québec)   75005 Paris FRANCE
H2K 3W6   www.librairieduquebec.fr

ISBN: 978-2-89647-152-2

Dépôt légal: 3e trimestre 2008
Bibliothèque et Archives nationales du Québec
Bibliothèque et Archives du Canada

Imprimé au Canada

www.hurtubisehmh.com

REMERCIEMENTS

La production de cet ouvrage a bénéficié du concours d'un grand nombre d'intervenants.

Plus de 30 interviews ont été conduites avec des responsables, des critiques et des bénéficiaires de la coopération francophone en Amérique, en Afrique et en Europe, dont le secrétaire général de l'Organisation internationale de la Francophonie, monsieur Abdou Diouf et l'administrateur, monsieur Clément Duhaime. Marie-Louise Akondjia a été la cheville ouvrière de cette longue conversation en maîtrisant une logistique complexe.

Jonathan Burnham a dirigé la recherche. Son intérêt personnel et sa compétence professionnelle ont rendu possibles l'écriture et la réécriture de cet ouvrage ; sa compétence linguistique et sa patience, la préparation du manuscrit. La part prise par monsieur Burnham a été considérable. Ce livre est aussi le sien.

Enfin, l'Organisation internationale de la Francophonie a soutenu la production de cet ouvrage et le Centre de recherche en droit public de l'Université de Montréal, en octroyant un statut de chercheur invité à l'auteur de cet ouvrage, a contribué grandement à la réalisation de ce projet.

À tous ces partenaires, j'adresse mes plus chaleureux remerciements.

JEAN-LOUIS ROY

INTRODUCTION

La mondialisation a transformé l'espace économique mondial dans le sens de sa plus grande unité. Elle est en voie de transformer l'espace culturel mondial dans le sens de sa plus grande diversité. Puissants et contradictoires en apparence, ces mouvements touchent la substance même des relations entre les sociétés. Ils pourraient structurer le XXIe siècle.

En conjuguant virtuellement les bénéfices partagés de la croissance et la reconnaissance de l'identité multiple de la famille humaine, ces mouvements inaugurent des formes inédites d'affirmation et de concurrence qui ont, dans les deux domaines, un même horizon. Telle est peut-être la jonction entre les nouveaux espaces économique et culturel, l'un et l'autre se référant désormais à un même champ d'action à investir et à maîtriser. Ce changement d'échelle auquel nous conduit la mondialisation nous est plus familier dans le domaine de l'économie, il n'en est pas moins manifeste dans celui de la culture.

Dans un premier temps, le but de cet ouvrage est de chercher à comprendre les effets de la mondialisation, leurs impacts sur la restructuration de la communauté internationale, les enjeux nouveaux, aussi, que laisse entrevoir l'émergence de multiples démarches mondialistes en provenance de toutes les régions du monde et notamment de l'Asie. Au-delà du consentement politique et juridique à la diversité des expressions culturelles, nous chercherons aussi à connaître et apprécier la politique réelle qui déjà mobilise, structure et ouvre sur une compétition linguistique et culturelle intense, peut-être sans précédent dans l'histoire de l'humanité. Ces restructurations ferment une époque et en inaugurent une autre pour tous, dont la Francophonie.

Ceux qui se sont fait, avec raison, les chantres de l'exception et de la diversité culturelles savent-ils assez qu'ils ont libéré des forces considérables et qu'il leur faut désormais penser et acter sa mise en œuvre autant en fonction de la Chine, de l'Inde, de la Russie et de bien d'autres puissances et situations que des États-Unis, leur cible initiale ? Savent-ils assez que territorialité nationale et territorialité culturelle ne coïncident plus, les technologies ayant rendu les frontières poreuses obsolètes et les migrations assurées partout ou presque des assises territoriales aux cultures et aux langues du monde. Bref, hier encore, la pluralité des cultures référait à des distants et à des ailleurs. Ces distants et ces ailleurs sont désormais en tous lieux et le resteront.

La grande bataille linguistique et culturelle qui s'annonce témoigne déjà de ces mutations, l'intention géoculturelle et géolinguistique étant indissociable d'une ambition géopolitique les englobant et les dépassant. D'où l'importance de mesurer ce qui advient de l'hyperpuissance américaine et de ses capacités à contenir les visées des autres puissances.

Dans un second temps, l'objectif de cette étude est de chercher à comprendre la Francophonie telle qu'elle est devenue 40 ans après son émergence dans l'histoire. Dans la recomposition en cours de l'espace culturel mondial, la Francophonie est-elle une plate-forme d'un autre âge fondée sur des catégories périmées ou un levier capable de soutenir la formidable compétition culturelle et linguistique qui surgit de tous les horizons?

Quel est son positionnement stratégique, ses forces et ses faiblesses, ses objectifs et ses travaux? Que doit-elle conserver de ce qu'elle est et que lui faut-il devenir pour espérer marquer de son sceau le nouvel espace culturel mondial?

Les francophones doivent-ils craindre pour l'avenir de la langue française, non pas sa liquidation mais sa perte de présence et d'influence dans la géolinguistique à l'œuvre dans notre temps?

Quel positionnement leur faut-il adopter dans un monde où se déploient des ambitions culturelles et linguistiques débordant le face à face avec la langue anglaise qui a durablement défini leur combat?

Globalement, les aspirations et les investissements de la Chine visent à établir sa langue comme l'autre *lingua franca*. Son poids économique et commercial, sa nouvelle présence en Asie du Nord et du Sud-Est, en Amérique latine et en Afrique, ses investissements dans le monde et les avantages offerts aux apprenants de sa langue constituent autant de leviers hier encore inexistants. Comme il sera démontré plus loin, la Francophonie doit déjà composer avec cette stratégie nouvelle et universelle de la Chine en faveur de sa langue. Certes, la prépondérance de la langue anglaise n'est pas encore érodée par la volonté déclarée de la Chine. Mais la géopolitique et la politique qui ont successivement placé la Grande-Bretagne et les États-Unis d'Amérique au premier rang des puissances, et ainsi porté avec force l'expansion de la langue anglaise dans le monde, ne sont plus sans concurrence.

L'espace culturel et linguistique mondial est désormais l'objet de convoitises nouvelles, l'offre pour l'apprentissage des langues étrangères enrichie de propositions planifiées à grande échelle. Tel qu'il sera démontré plus loin, la structuration de grandes diasporas par d'autres puissances,

telles l'Inde et la Russie, contribue aussi à cet enrichissement, sans compter la progression de la langue espagnole
jusqu'au cœur de l'empire américain. Au plan mondial,
tel est le nouvel environnement de toutes les langues
désireuses de se situer dans la courte liste des idiomes à
dimension internationale.

Au plan continental, la langue française est et sera
soumise à rudes compétitions en Europe et en Afrique.

Dans le premier cas, celui du continent européen, la
langue anglaise a franchi l'Atlantique et la Manche et s'est
installée sur un continent où elle n'a par ailleurs aucune
assise historique ou actuelle. Tel n'est pas le cas pour la
langue allemande. Première langue du continent, elle est
défendue avec une insistance croissante par une coalition
rassemblée par l'Allemagne, première puissance européenne. Enfin, après les séismes qui ont marqué son histoire récente, la Russie est désormais sérieusement au
travail pour rétablir son influence, rassembler les 500
millions de locuteurs de sa langue et enrichir son offre
linguistique en Europe et dans le monde.

Dans le second cas, celui du continent africain, où se
trouve la majorité des locuteurs de la langue française et
son seul bassin de véritable croissance susceptible de
lui garantir une place dans le club restreint des langues
internationales au XXIe siècle, la compétition déjà engagée
en Afrique centrale et ailleurs sur le continent avec la
langue anglaise est préoccupante. Contenue à ce jour, la
tentation du Rwanda pourrait y faire des émules. Certains
pays membres de la Francophonie n'ont-ils pas récemment
demandé leur adhésion au Commonwealth ? L'Afrique
est aussi marquée par les courants mondiaux actuels.
Certains, tel l'ancien président du Mali et de la Commission
de l'Union africaine, Alpha Oumar Konaré, évoquent la
montée actuelle et virtuelle de la langue chinoise sur le
continent.

Un enseignement d'ensemble se dégage de tout ce qui précède. Aucun pays francophone ne peut relever seul les défis posés par la mondialisation culturelle et linguistique et la formidable compétition qui s'y déploie et qui s'y déploiera dans les décennies à venir. Déjà en 1992, dans une étrange conversation avec le président François Mitterrand, le grand historien Alain Decaux, alors ministre français de la Francophonie, avait reconnu l'essentiel : « La Francophonie est devenue le principal espoir de notre langue, peut-être le seul[1]. » Seize années ont passé depuis. Elles n'ont fait que confirmer le jugement alors porté par Decaux. Peu importe l'angle choisi, toutes les appréciations convergent vers une évidence : la langue française n'aurait aucune chance de demeurer une langue internationale au XXIe siècle si la Francophonie devait se diluer, se fragmenter, perdre sa capacité unique de tenir ensemble cette communauté complexe qu'elle rassemble, anime et développe depuis quatre décennies.

Qu'est-ce donc que la Francophonie ?

Considérant l'avenir de la langue française, un grand nombre d'observateurs concentrent à tort leurs évaluations et leurs jugements sur l'Organisation internationale de la Francophonie (OIF). Certes, une part de la responsabilité se situe à ce niveau, qui est un niveau délégué. Il faut le dire et le redire, la responsabilité première est celle des États et gouvernements membres de la communauté francophone. C'est à eux d'abord qu'incombe la responsabilité de décider ce qui doit être mutualisé entre eux pour que soit conduite et gagnée la bataille susceptible de placer à bon niveau leur héritage culturel et linguistique au XXIe siècle. C'est à eux aussi de décider ce qu'ils peuvent et doivent faire ensemble, et ce que chacun, de façon isolée, ne pourrait accomplir ou achever avec la même

---

1. Alain Decaux, *Le tapis rouge*, Paris, Librairie Académique Perrin, 1992, p. 316.

célérité et durabilité. Ces questions ne sont pas nouvelles. Elles sont au cœur du projet francophone depuis ses origines. Mais elles se posent aujourd'hui avec une acuité sans précédent et dans un contexte mondial qui appelle des investissements à ce niveau.

L'OIF est l'instrument de la vision, de la volonté et des décisions des États et gouvernements membres. Certes, sa capacité de proposer est importante, mais elle tient sa légitimité, ses mandats et ses ressources de ses États et gouvernements membres. Telle est la Francophonie. Une communauté dans un monde de communautés. L'OIF est le fiduciaire des délibérations et des décisions de cette communauté. Dans cet ouvrage, l'expression *communauté francophone* fait référence aux États et gouvernements membres ; l'expression *Francophonie* fait référence à l'OIF. Aussi bien le dire franchement dès le départ, la Francophonie est un héritage précieux. Sans ce rassemblement de communautés qui ont librement décidé de mettre en commun certaines de leurs ressources, investi dans leur connaissance réciproque et cherché les voies de leur action commune dans quelques domaines essentiels, la langue française et les cultures qu'elle fédère auraient peu de chances, sinon aucune, de s'affirmer et de s'imposer dans le contexte mondial évoqué précédemment. Certes, un rassemblement de nations ne dispose pas immédiatement des mêmes leviers que ceux des grandes puissances. Tout y est plus complexe, la concertation, la décision et l'action. Mais, comme il sera démontré, la communauté francophone a finalement arrêté ses choix, et ces derniers appartiennent à la courte liste des biens publics mondiaux essentiels. Elle a mis de l'ordre et de la cohérence dans ses interventions autour de quatre grands objectifs :

– la promotion de la langue française et de la diversité culturelle et linguistique ;

– le soutien à la paix, à la démocratie et aux droits humains ;

– l'appui à l'éducation, à la formation, à l'enseignement supérieur et à la recherche ;

– le développement durable et la solidarité.

Ces objectifs traduisent à la fois les exigences découlant de la composition de la communauté francophone qui est une communauté Nord-Sud et les impératifs du temps. La question essentielle pour la communauté n'est plus celle des domaines de ses interventions mais bien celle de la méthode et du niveau de ses interventions.

Considérant ces domaines, certains récusent la dimension politique de la Francophonie qui, à leur avis, dévalue et limite son action culturelle et linguistique. Les mêmes s'inquiètent aussi de la venue dans la communauté francophone de nombreux pays qui, à leur appréciation, ont peu à voir avec la nature même de la Francophonie et de leurs motifs d'œuvrer à la promotion de la langue française. Ces questions sont importantes. Elles seront abordées sans détour, convaincus que l'action culturelle est indissociable d'une visée politique d'ensemble. Tels sont les positionnements de toutes les communautés culturelles comparables.

Le défi de la Francophonie n'est pas dans la définition de ses objectifs et de ses champs d'intervention, ni dans la recherche des formes de sa gouvernance institutionnelle. Après des décennies de débats ardus, ces questions sont, pour l'essentiel, résolues. Les États et gouvernements membres ont finalement convenu de confier à l'OIF le double mandat politique et de coopération, de leur déploiement et de leur convergence ; et au secrétaire général de la Francophonie la responsabilité d'exécuter l'ensemble des décisions arrêtées par les Sommets des chefs d'État et de gouvernement[2].

---

2. Onze Sommets de la Francophonie depuis 1986 : Paris (France, 1986), Québec (Canada-Québec, 1987), Dakar (Sénégal, 1989), Chaillot (France, 1991), Grand Baie (Maurice, 1993), Cotonou (Bénin, 1995),

Le défi consiste à déployer ces mandats et décisions en tenant compte du changement d'échelle que constitue le nouvel espace culturel mondial, de les penser et de les mettre en œuvre en intégrant les ressources technologiques disponibles, de remplir l'obligation de résultats dans un contexte d'une compétition culturelle et linguistique sans précédent. Le passage à ce niveau est indispensable. Il dépend des États et gouvernements membres, de leur compréhension de la compétition culturelle et linguistique mondiale et de leur volonté d'y investir les ressources requises pour relever ce défi considérable. Or, il apparaît aujourd'hui que cette compréhension et cette volonté sont hésitantes.

La Francophonie rassemble 68 États et gouvernements, 55 d'entre eux comme membres à part entière[3] et 13 États observateurs[4], soit 1 pays sur 3 dans le monde et plus d'un demi-milliard de personnes. Elle est fiduciaire d'une grande langue « mondiale » dont le rayonnement est toujours étendu et dont le potentiel de croissance est incontestable.

– Sa géographie physique encercle la planète. De toutes les communautés comparables, seul le Commonwealth britannique bénéficie d'un tel déploiement.

Hanoi (Vietnam, 1997), Moncton (Canada-Nouveau-Brunswick, 1999), Beyrouth (Liban, 2002), Ouagadougou (Burkina Faso, 2004), Bucarest (Roumanie, 2006).

3. 55 États et gouvernements membres : Albanie, Andorre, Belgique, Bénin, Bulgarie, Burkina Faso, Burundi, Cambodge, Cameroun, Canada, Canada-Nouveau-Brunswick, Canada-Québec, Cap-Vert, République centrafricaine, Chypre, Communauté française de Belgique, Comores, Congo, République démocratique du Congo, Côte d'Ivoire, Djibouti, Dominique, Égypte, Ex-République yougoslave de Macédoine, France, Gabon, Ghana, Grèce, Guinée, Guinée-Bissau, Guinée équatoriale, Haïti, Laos, Liban, Luxembourg, Madagascar, Mali, Maroc, Maurice, Mauritanie, Moldavie, Monaco, Niger, Roumanie, Rwanda, Sainte-Lucie, Sao Tomé-et-Principe, Sénégal, Seychelles, Suisse, Tchad, Togo, Tunisie, Vanuatu et Vietnam.

4. 13 États observateurs : Arménie, Autriche, Croatie, Géorgie, Hongrie, Lituanie, Mozambique, Pologne, République tchèque, Serbie, Slovaquie, Slovénie, Ukraine.

– Sa géographie historique plonge loin ses racines dans la période moderne et contemporaine. Dans la longue durée, elle est indissociable de l'expansion européenne, cette première interférence entre la quasi-totalité des civilisations. Dans la plus courte durée, elle est liée à l'affranchissement de la servitude des pays du Centre et de l'Est de l'Ancien Continent. De toutes les communautés comparables, elle est la seule qui ait accueilli certains d'entre eux enfin libres de leur alliance. Les puristes de la langue s'en offusquent, les amoureux de la liberté s'en réjouissent.

– Sa géographie culturelle joint les patrimoines arabes, berbères et autres du Maghreb et du Machrek, européens de l'Ouest et de l'Est, francophones d'Amérique et des Caraïbes, ceux du Cambodge, du Laos et du Vietnam et les vastes richesses des nations africaines, du désert du Sahara et de la région des Grands Lacs d'Afrique jusqu'aux îles de l'océan Indien. À cette hauteur, l'idée même d'une comparaison avec les autres communautés est détestable. Qu'il suffise ici de souligner l'unique richesse civilisationnelle d'une telle abondance.

– Sa géographie linguistique est l'une des plus riches du monde avec la langue française comme socle et instrument de liaison entre tous ses locuteurs qui, positionnement postmoderne par excellence, ont par ailleurs une maîtrise d'autres langues dans le monde entier. La langue française est langue officielle dans 32 États et gouvernements membres de l'Organisation internationale de la Francophonie.

La Francophonie est cette communauté.

Certains sont rebutés par une telle pluralité. Confondant Francophonie et langue française là où il importe de considérer cette dernière comme le socle d'une coalition culturelle et politique, ils expriment leur scepticisme devant cette communauté qu'ils voudraient plus homogène. Dans le monde tel qu'il est, cette diversité constitue un atout précieux.

La communauté francophone est aussi, bien évidemment, un collectif international de locuteurs d'une langue qui, plus qu'il n'y paraît, conserve un pouvoir d'attraction indéniable. Plus de 100 millions de personnes l'apprennent aujourd'hui et la demande de français déborde l'offre disponible.

Cette communauté est organisée et soutenue par un rassemblement d'États et de gouvernements réunis autour d'objectifs d'ensemble incluant la promotion de la langue française et de la diversité culturelle et linguistique.

Cette promotion doit être comprise largement. Elle inclut des activités spécifiques susceptibles de consolider et d'accroître le nombre des usagers de la langue française dans le monde, et cet avancement doit être mesurable. Elle inclut aussi de multiples activités qui installent l'usage de la langue française dans un grand nombre de domaines et de forums où son emploi serait autrement restreint ou non existant. Cette promotion a produit dans le temps un nombre considérable de réseaux internationaux qui constituent aujourd'hui un formidable capital pour l'action, l'interaction et la mobilisation. Cette architecture enracine la Francophonie dans une culture interactive et moderne, la culture du XXIe siècle. Telles sont les visées convergentes de l'action de l'Organisation internationale de la Francophonie: accroître la taille du collectif international de locuteurs de la langue française et soutenir son utilisation dans des domaines stratégiques.

Compte tenu de sa composition, la communauté francophone a franchement fait l'option de la diversité qui lui vaut une estime et une notoriété certaines dans la communauté internationale. Cette option est devenue la politique affirmée de la famille des nations.

Dans un temps où la dimension Nord-Sud surgit à nouveau comme enjeu majeur dans la compétition internationale, la Francophonie dispose d'un crédit certain, n'ayant jamais délaissé sa vision initiale d'un développement partagé. Comme il sera démontré plus loin, l'action de l'OIF est fortement enracinée dans cette vision.

Au-delà des considérations d'ordre géopolitique voire philosophique qui les fondent, ces positionnements sont aussi politiques et stratégiques. La communauté francophone est marquée par la plus grande diversité culturelle et linguistique et sa dimension Nord-Sud est constitutive.

Sans cette communauté plurielle qui s'est ralliée autour d'elle, la langue française serait confinée à la France et aux minorités belge et suisse qui lui sont limitrophes, au Québec et aux communautés francophones du Canada, ces seuls territoires où elle est langue maternelle. L'idée même de la croissance du nombre de ses locuteurs, de la conservation de son statut dans les organisations régionales, continentales ou internationales et de son maintien comme langue internationale perdrait alors toute assise et toute légitimité.

Au commencement était la France

Les relations entre la France et la communauté francophone sont ambiguës, pour dire le moins. Aux deux extrêmes, certains reprochent à la France d'en faire trop et de vouloir tout contrôler; d'autres croient qu'elle n'en fait pas assez et faillit à son obligation.

Si la Francophonie ne peut s'accomplir sans elle, la France ne peut s'accomplir sans la Francophonie. Certes, sa capacité culturelle et linguistique et la plus-value que lui confère son appartenance à l'Europe ne seraient pas dissoutes en totalité par l'effacement de la Francophonie. Cependant, elle devrait renoncer à toute ambition culturelle à l'échelle planétaire et se résigner à voir la place et le statut de la langue française réduits à une dimension locale, sans plus. Cette réduction aurait d'importantes conséquences géopolitiques tant, tel qu'il sera démontré plus loin, la communauté francophone constitue pour ses membres, et au premier titre pour la France, un formidable bassin d'appuis et de relais politiques.

Le débat concernant la politique francophone de la France est d'abord franco-français. Mais il intéresse tous les francophones tant les intentions de la France sont et seront déterminantes dans le contexte de la nouvelle concurrence qui anime l'espace culturel mondial. Les francophones ont besoin de l'engagement déterminé et constant de la France. Mais cette dernière se trouverait bien seule et bien impuissante dans la bataille culturelle et linguistique mondiale sans un engagement équivalent de ses partenaires francophones. D'où la nécessité d'un nouveau paradigme susceptible de vivifier et d'apaiser les relations entre tous les partenaires de la communauté.

Le débat concernant la politique francophone de la France est ancien. Il a été conduit par des militants[5], des experts[6], et des politiques[7], et centré généralement sur la langue française. Récemment, il a pris une dimension plus vaste et mieux ajustée à la géopolitique actuelle, la politique francophone enfin évoquée comme un élément de la politique extérieure de la France.

Dans son *Rapport pour le président de la République sur la France et la mondialisation*, l'ancien secrétaire général de la présidence de la République sous François Mitterrand et ancien ministre des Affaires étrangères, Hubert Védrine, a dit l'essentiel dans le texte suivant :

---

5. Dominique Gallet, *Pour une ambition francophone*, Paris, L'Harmattan, 1995 ; Serge Arnaud, Michel Guillou et Albert Salon, *Les défis de la Francophonie : Pour une mondialisation humaniste*, Paris, ALPHARÈS, 2005.

6. Dominique Wolton, *Demain la francophonie*, Paris, Flammarion, 2006.

7. Alain Decaux, *op. cit.*

L'indifférence des élites françaises au sort du français et de la francophonie – mis à part les spécialistes – est un scandale et une absurdité. Manifestations sans doute, d'une sorte de déprime nationale et de faux modernisme, se préoccuper du français leur paraît une obsession de vieilles barbes, le comble étant atteint dans les milieux économiques globalisés où le snobisme, en plus de l'efficacité pratique, s'en mêle. Ni les Espagnols, ni les Russes, ni les Arabes, ni les Chinois, ni les Allemands, entre autres, ne sont aussi désinvoltes avec leur propre langue. Si l'américain était menacé, les États-Unis n'hésiteraient pas à adopter des lois Tasca, Toubon! La France est le seul pays qui a la chance de disposer d'une langue de culture et de communication et qui s'en désintéresse, sauf institutionnellement. Le résultat en quarante ans est là[8].

Ce qui est attendu de la France, au-delà de ces constats et pétitions de principe, c'est l'inscription durable de la Francophonie comme expression de sa vision du monde au XXIe siècle et élément constitutif de sa politique étrangère[9]. Cette inscription devrait notamment dégager une vision renouvelée des partenariats francophones indispensables pour assurer la consolidation et l'accroissement des usagers de la langue française dans le monde et favoriser son usage dans le plus grand nombre de domaines et de forums, bref une politique visant l'expansion et l'usage de la langue française.

Vérité à Paris : vérité à Québec, Bruxelles et Genève

Pour les francophones québécois, belges et suisses, la nouvelle configuration de l'espace culturel mondial comporte

---

8. Hubert Védrine, *Rapport pour le président de la République sur la France et la mondialisation*, Paris, Fayard, 2007, p. 119.

9. Dans cet esprit, Nicolas Sarkozy, président de la République française, déclarait le 20 mars 2008 : «La Francophonie est et restera une priorité de la diplomatie française.» Présidence de la République, Service de presse, Allocution de M. le président de la République à l'occasion de la Journée internationale de la Francophonie, Cité internationale universitaire de Paris, 20 mars 2008.

de redoutables défis. Que deviendrait en effet leur longue bataille pour l'affirmation de leur culture et de leur langue si la Francophonie devait être marginalisée dans le nouvel espace culturel mondial?

Seuls héritiers avec les Français de la langue française comme langue maternelle, à quelle rénovation de leur compréhension, de leur participation et de leur soutien à la Francophonie sont-ils prêts à consentir pour hausser ses initiatives sur le plan des enjeux et défis posés par la nouvelle configuration culturelle et linguistique mondiale?

Quelle stratégie leur faut-il mettre en œuvre et quelles exigences leur faut-il formuler en direction des États fédéraux dont ils font partie pour que la Francophonie soit inscrite comme expression dynamique de leur vision du monde et élément constitutif de leur politique étrangère?

Dans le cas du Canada, plusieurs s'inquiètent d'un apparent désengagement, d'un recul manifeste dans la volonté et la capacité de propositions qui, dans le passé, a contribué fortement au développement de la Francophonie. Il fut un temps où le dossier francophone mobilisait à Ottawa, du chef du gouvernement à plusieurs ministres seniors, ministre des Affaires extérieures, ministre responsable de l'Agence canadienne de développement international (ACDI), ministre du Patrimoine, ministre de la Justice ainsi que des hauts dirigeants parmi les plus respectés de la haute fonction publique, dont les sous-ministres en titre des ministères identifiés précédemment et le président de l'ACDI. Il fut un temps où la Francophonie occupait une place importante dans la politique extérieure de la fédération canadienne. Certes, les rites publics et les formes sont à peu près accomplis. Cependant, l'engagement s'est manifestement dilué là où sont attendues des initiatives fortes et une contribution financière conséquente.

Pour les communautés et les États francophones fédérés, quelle solution de rechange leur faut-il envisager dans l'éventualité du désengagement de leurs autorités fédérales pour récupérer les ressources indispensables qui doivent être investies pour livrer et gagner la bataille culturelle et linguistique au XXIᵉ siècle ?

Selon les spécificités des uns et des autres, la situation actuelle appelle une négociation interne d'importance, l'option du *statu quo*, pour certains, équivalant à une stagnation, voire à une régression tragique. Les communautés qui ont la langue française comme langue maternelle connaissent la nature et la hauteur des défis qui les sollicitent. Deux domaines d'intervention viennent spontanément à l'esprit : l'utilisation des technologies les plus avancées et la mutualisation de leurs ressources nationales pour l'enseignement du français dans la communauté francophone et dans le monde. La nécessité et l'ambition doivent ici converger et aucune demande de français ne devrait rester sans réponse. Enfin, parmi bien d'autres nécessités, celle de la numérisation des patrimoines scientifiques et culturels disponibles dans l'espace francophone apparaît aussi urgente et essentielle.

Vérité à Paris : vérité à Dakar

La capitale du Sénégal est ici évoquée comme une référence générique pour l'ensemble des pays du continent africain, membres de la communauté francophone. Outre leur contribution historique à la communauté et leur riche vivier culturel, les partenaires africains disposent d'un positionnement unique dans cette communauté. Ensemble, ils constituent le seul potentiel de croissance significative des locuteurs de la langue française, cette absolue nécessité pour que cette langue appartienne au club restreint des langues internationales au XXIᵉ siècle. Unique, ce positionnement leur crée l'obligation d'éclairer de leurs préoccupations et propositions les orientations d'ensemble de la communauté francophone, de dire leurs besoins prioritaires pour que soit maximisée leur participation à un ensemble qui ne peut imaginer son avenir durable en dehors de leur présence et de leur développement. Ce positionnement crée aussi à la communauté francophone des obligations majeures. Ce sujet sera abordé plus loin.

Compte tenu des évolutions en cours de la géopolitique mondiale, certains évoquent un éventuel détachement de l'Afrique dite francophone de la communauté francophone. Certes l'Occident est à nouveau en situation de concurrence sur le continent et les Africains sont libres de leurs alliances actuelles et à venir. Nul ne peut décider à leur place ce qui constitue leur intérêt dans le court et le long terme. Cependant, ce constat ne doit pas conduire à une position attentiste et frileuse.

Pour la Francophonie, l'Afrique n'est pas un fragment parmi d'autres ; elle lui est constitutive. Dans la concurrence qui se déploie sur le continent, la Francophonie a l'avantage de l'antériorité, de la familiarité et de la proximité que lui assurent les vastes réseaux de partenariat construits dans la longue durée. Son rapport au continent est multiforme. Il se déploie dans un nombre considérable de domaines : de la prévention des conflits à la gouvernance démocratique, de l'aménagement urbain à l'enseignement supérieur et à la recherche, de l'appui aux organisations de la société civile au soutien à la production culturelle, pour ne citer que ces domaines. Mais la conjoncture appelle un enrichissement de ce qui est présentement accompli, compte tenu du changement d'échelle découlant de la mondialisation.

Vérité à Paris : vérité à Bucarest

Depuis 1990, près de 20 pays sont venus enrichir de leur expérience et de leurs réseaux la communauté francophone. Leur venue a suscité et suscite toujours des appréciations contrastées. D'eux aussi sont attendues des propositions susceptibles de conforter l'entreprise francophone et de contribuer à ses objectifs essentiels comprenant l'expansion du nombre de locuteurs de la langue française et son utilisation dans le plus grand nombre de domaines possibles. On le verra plus loin, ce travail est amorcé. Avec ces pays et ceux qui sollicitent aujourd'hui leur adhésion à la communauté francophone, un pacte politique de nature linguistique doit être négocié et agréé.

Que ces requêtes puissent être formulées à l'endroit des diverses composantes de la communauté francophone témoigne à la fois de ce qu'elle est et de ce qu'elle doit devenir, de ce qu'elle a accompli et de ce qui lui reste à accomplir. Certes, elle n'a pas tout réussi ce qu'elle a entrepris. Elle a été pionnière, cependant, dans la mise en convergence de la diversité culturelle et linguistique de la famille humaine et, depuis près d'un demi-siècle, elle a aménagé un carrefour où se sont retrouvés des centaines de milliers d'hommes et de femmes venus de tous les horizons pour mettre en convergence leur compréhension du monde et leur action sur le monde.

Poursuivies et enrichies depuis près d'un demi-siècle, leurs délibérations et décisions communes ont finalement privilégié quelques domaines fondamentaux. Ensemble, ces domaines circonscrivent les champs d'intervention de la Francophonie : la diversité culturelle et linguistique et, dans ce contexte de la promotion de la langue française, l'appui à la paix, à la démocratie et aux droits humains ; l'accès à l'éducation pour tous et le développement de l'enseignement supérieur et de la recherche par la mise en réseau des institutions qui en ont la charge ; et finalement, le développement durable et la solidarité.

La Francophonie constitue un pont entre des cultures, des histoires, des traditions et des ambitions les plus diverses. Elle montre ce qu'ont en commun les civilisations humaines en un temps où est exploitée honteusement leur dissimilitude. Près de 20 pays membres de la communauté francophone sont aussi membres de la Ligue arabe, d'autres appartiennent au Commonwealth, à la communauté ibéro-américaine ou à celle des pays de langue portugaise. Certains apportent aux tables de la Francophonie les perspectives dégagées au sein de l'Association des nations de l'Asie du Sud-Est (ANASE), de l'Union africaine ou de l'Union européenne, d'autres les vues prévalant en Amérique du Nord. Depuis des décennies, la Francophonie a réuni ces univers disparates et élargi sans cesse les domaines de leurs concertations, mis en œuvre des mécanismes de partage et de transfert de compétences, créé des espaces pour des coopérations de qualité et, comme il sera démontré plus loin, placé la question des valeurs démocratiques au cœur de leurs réflexions, résolutions et initiatives communes.

Ces acquis sont précieux et considérables.

Dans sa seconde partie, ce livre dresse un inventaire d'ensemble de l'héritage de la Francophonie, de ce qu'elle offre aujourd'hui à ses membres et à la communauté internationale, un apport qui est considérable et mal connu. Il en propose les prolongements indispensables, en conséquence des changements du monde et de la nouvelle configuration de l'espace culturel mondial.

Montréal, le 15 avril 2008

PREMIÈRE PARTIE

Le nouvel espace culturel mondial

CHAPITRE PREMIER

Un monde de communautés

La communauté francophone est indissociable d'une géopolitique qui l'inclut et la déborde, d'une géopolitique plus vaste qu'elle-même. Elle appartient à un mouvement universel qui a structuré la communauté des nations depuis le milieu du XXe siècle.

Communauté dans un monde de communautés, elle n'est ni une exception ni une curiosité. Son existence reflète le choix effectué par au moins deux nations sur trois dans le monde qui ont adopté une communauté telle la Francophonie. Ces nations partagent la conviction que leur rassemblement contribue à la défense de leurs intérêts communs. Dans le cas de la Francophonie et des communautés comparables, il s'agit de conforter leur héritage linguistique et culturel et d'en assurer la permanence, la progression et le rayonnement dans le monde.

Les anglophones ont inventé la formule. Elle a été reprise depuis par les locuteurs des langues espagnole, portugaise, arabe, turque et française. L'Allemagne s'en inspire pour ses concertations avec ses quelques partenaires linguistiques. La formule s'est ainsi installée dans le monde largement à partir de l'Europe et comme une étape nouvelle de la relation de l'Ancien Continent avec tous les autres.

Le lien est à la fois historique, politique, linguistique et culturel au sens large du terme. Dans un premier temps, il emprunte la forme classique de la coopération au développement, permet des transferts de connaissances, assure le maintien de cohésions utiles entre pays qui partagent des systèmes politiques, institutionnels et juridiques communs et, disons-le, contribue parfois au maintien des dominations et sujétions anciennes. La reine d'Angleterre n'est-elle pas le chef du Commonwealth, le roi d'Espagne le président des Sommets ibéro-américains, et Versailles la toute première adresse des Sommets francophones. L'important est ailleurs.

– Il est dans les changements du monde qui vont troubler la quiétude de ces coopérations, imposer de nouveaux domaines pour leurs délibérations et modifier, en substance, leur finalité. Ainsi, la question de la liberté humaine s'impose partout en conséquence de l'implosion de l'Union soviétique et de la libération des pays de l'Europe centrale et orientale. Celle du développement (ou du sous-développement) est relancée en conséquence de la victoire de l'économie de marché et de l'évolution des technologies de l'information et des communications (TIC). Enfin, celle de la gouvernance émerge comme une espèce de question préalable aux règlements des deux premières concernant la liberté humaine et le développement.

– Il est aussi dans la reconfiguration rapide et profonde de l'espace mondial, soudain libéré de la grande lutte idéologique qui a dominé le XXe siècle. Cette reconfiguration est d'abord économique à la suite du ralliement généralisé à l'économie de marché et aux modifications des règles financières et commerciales qu'elle a rendu possibles. En quelques brèves années, ce système a transformé durablement l'économie mondiale, modifié les rapports de puissance et présidé à des transferts de capacités et de ressources sans précédent dans l'histoire moderne.

– Il est enfin dans l'extension de ces technologies à l'échelle de la planète et de leurs effets dans la vie de centaines de millions de personnes, de la quasi-totalité des nations et de l'humanité tout entière. Désormais, ce sont des milliards de messages de toute nature qui, quotidiennement, reconfigurent en permanence les rapports de l'homme à ses semblables, à sa communauté immédiate, à la culture, au savoir et finalement à l'ensemble des biens matériels et immatériels disponibles.

Les États-Unis ont dominé la première phase de la mondialisation. Mais sans s'être retournée contre eux, la phase actuelle a fait émerger des puissances qui aujourd'hui maîtrisent à leur avantage les forces conjuguées de l'économie de marché et celles libérées par les TIC. Comme il sera démontré plus loin, les vastes transferts de capitaux et la délocalisation des instruments et des ressources de la production scientifique et technologique, de l'Ouest vers l'Est, ont provoqué des mutations structurelles susceptibles, à terme, de redéfinir les rapports de puissance et les alliances tels que nous les avons connus depuis la période moderne.

Il y a peu de temps encore, on annonçait «la fin de l'histoire» et l'émergence d'une civilisation universelle inspirée par les acquis matériels et la dissémination de la conception du progrès qui ont fait la force de l'Occident[1]. Certes, les réseaux mondiaux découlant des cycles économiques et technologiques nouveaux ont produit d'indéniables convergences, et la phase actuelle, une tension univoque et universelle vers un même système de croissance et de développement. Néanmoins, ces vastes mouvements n'ont pas produit l'homogénéisation célébrée par les uns, honnie par les autres. Ils n'ont pas dissous la complexité du monde et sa diversité constitutive. Au

---

1. Francis Fukuyama, «La fin de l'histoire?», *Commentaire*, n° 47, Automne 1989.

contraire, ils l'ont révélé comme jamais auparavant et ont mis à mal la conception quasi impériale de la recomposition annoncée du monde.

De nouvelles ambitions

À l'instar de l'économie, la culture s'est elle aussi mondialisée ou, plus justement, les cultures sont en voie de mondialisation. L'équivalence historique entre territoire national et culture nationale est rompue. Cette mutation facilite des ambitions dont l'horizon est désormais plus vaste, voire universel. Cette position post-nationale est rendue possible par les TIC qui, désormais, confortent le maintien des identités pour les fragments détachés des communautés nationales. La crise du multiculturalisme qui touche l'Occident est la conséquence de cette évolution. Anglais et Asiatiques du Sud en Grande-Bretagne, Américains et Latino-Américains aux États-Unis, Sénégalais et Chinois au Sénégal, Allemands et Turcs en Allemagne, le lien d'origine n'est pas seulement affirmé, il est revendiqué. Arjun Appadurai utilise l'expression « confréries internationales[2] » pour désigner cette dimension de la mondialisation de la culture. Ces mouvements ne sont pas que spontanés ou découlant des nouvelles capacités technologiques. Ils découlent aussi de politiques culturelles et linguistiques de grande portée qui sont analysées plus loin, éléments de visées géopolitiques incontestables.

De nouvelles ambitions culturelles s'affirment. Elles traduisent aussi une volonté de tirer le maximum de l'économie de la culture et de l'industrie des médias. Selon les projections établies par PricewaterhouseCoopers, l'économie du domaine comptait, en 2007, pour 1 569 232 millions de dollars à l'échelle du monde. Pour l'Asie, les taux de croissance du domaine projetés étaient de 7,7 %, 9,1 %,

---

2. Arjun Appadurai, *Après le colonialisme. Les conséquences culturelles de la globalisation*, Paris, Payot, 2001, p. 35.

10,9 % et 11,3 % pour les années 2004 à 2007[3]. Devenue matière de l'économie, la culture constitue un puissant levier pour la croissance, le développement, la recherche et l'emploi. De plus, elle contribue à la présence et à l'influence à l'échelle planétaire.

Une conviction universelle

Limitées dans la période contemporaine à la zone occidentale de la planète, l'idée et la politique de l'affirmation culturelle et linguistique comme élément majeur de la géopolitique constituent aujourd'hui une conviction universelle. Ce changement d'échelle est aussi un changement de nature. La politique récente de la Chine, de l'Inde et de la Russie à l'endroit de leur diaspora, de leur rassemblement et leur mobilisation à des fins politiques et économiques, linguistiques et/ou culturelles, en constitue une illustration saisissante. Certes, l'Inde, la Chine et la Russie ne sont pas de nouveaux venus sur la scène internationale. Mais leurs politiques actuelles d'affirmation culturelle et linguistique dans le monde sont sans précédent.

« L'Inde ne tient pas tout entière en une même place[4] », proclame le grand écrivain Amitav Ghosh. Ni l'Inde, ni la Chine, ni la Russie, ni l'Allemagne, ni la Turquie ne tiennent ensemble dans une même place. En témoignent leurs travaux pour organiser « leur grande famille mondiale » à côté de celles que rassemblent le Commonwealth, la Francophonie, la communauté ibéro-américaine, la communauté des peuples lusophones[5].

3. PricewaterhouseCoopers (Wilkofsky Gruen Associates Inc.), *Global Entertainment and Media Outlook: 2004-2008*, New York, PricewaterhouseCoopers LLP, 2004, p. 11.

4. Amitav Ghosh, « La question de la diaspora est fascinante », propos recueillis par Lila Azam Zanganeh, *Le Monde*, 23 mars 2007.

5. Pour une perspective d'ensemble concernant les diasporas, voir Jacques Barou, *La Planète des migrants. Circulations migratoires et constitution de diasporas à l'aube du XXIe siècle*, Grenoble, Presses universitaires de Grenoble, 2007.

L'espace culturel mondial est de plus en plus encombré, multiethnique, multiculturel et multilingue, reflet et agent de la pluralité du monde. La Francophonie y trouve sa justification, aucun pays francophone ne pouvant, seul, maintenir et conforter les héritages culturels et linguistiques qu'elle rassemble dans la compétition linguistique et culturelle internationale actuelle et à venir.

La mondialisation a fait éclater la vision dualiste qui a dominé les esprits, les débats et les décisions ces dernières décennies, le monde anglo-saxon d'une part et le reste d'autre part. Cette vision a été très présente en francophonie. Elle est devenue obsolète. La mondialisation a mis fin « à l'isolement des civilisations ». Dans le changement d'échelle qui s'opère sous nos yeux, les stratégies culturelles doivent désormais prendre en compte le fait que la carte de la diversité s'affirme, que celle des identités se mondialise et que l'une et l'autre sont portées par des politiques affirmées. Peut-être assistons-nous à « la naissance d'un monde sans centre, ou du moins dont le centre est devenu problématique... sujet à des revendications universalistes concurrentes[6] ».

Francophonie et mondialisation

Comme pour toutes les communautés comparables, la Francophonie est fortement interpellée par ce nouveau paradigme. Elle n'est pas face à la mondialisation, comme le prétendent certains, mais dans la mondialisation, forcée de penser sa cohésion, ses objectifs et ses investissements dans un nouveau cosmopolitisme. Ce dernier est constitué de démarches mondialistes multiples qui éclairent le pluralisme culturel et lui assurent un positionnement politique inédit. Ce qui se produit n'est pas étranger à la Francophonie, compte tenu notamment de son histoire,

---

6. Gérard Leclerc, *La mondialisation culturelle: les civilisations à l'épreuve*, Paris, PUF, 2000, p. 6.

de sa composition et de ses géographies évoquées précédemment. Ce qui est nouveau pour elle cependant est d'une autre nature : une offre culturelle et linguistique diversifiée qui déjà rejoint des fragments importants de ses membres ; une lutte idéologique aussi qui ne dit pas son nom mais qui touche à certaines des valeurs qu'elle a fait siennes concernant notamment la liberté humaine. D'où l'obligation de faire voir et comprendre ce qu'elle a construit et qui est significatif, et de le porter à un autre niveau pour tenir compte du changement d'échelle qui découle de la mondialisation de l'espace culturel.

Disons-le franchement, la communauté francophone pourrait être fragilisée par ces forts mouvements. D'où la nécessité d'œuvrer au maintien de sa cohésion par une offre renouvelée, capable de produire des résultats tangibles et de contribuer réellement, dans des domaines qui comptent, à l'augmentation du nombre de ses membres. La composante africaine de la Francophonie doit notamment trouver dans son offre des motifs suffisants au maintien de son adhésion à une communauté qu'elle a contribué à faire émerger dans l'histoire. Certes, la Francophonie ne peut résoudre seule les immenses besoins de sa composante africaine. Cependant, elle doit y contribuer substantiellement. Cette nécessité appelle de nouvelles concertations entre les responsables des coopérations des États dits développés de la communauté francophone, dont la France, le Canada, le Québec, la Belgique, la Suisse et quelques autres. De nouvelles concertations devant conduire à des mises en commun substantielles et, avec les partenaires africains, à des pressions sur les institutions financières internationales pour l'investissement sur le continent. En Afrique, la Francophonie n'est plus sans concurrence, y compris culturelle.

Enfin, dans le même registre, la Francophonie doit aussi valoriser son importante composante d'Europe centrale et orientale. Certains regrettent l'élargissement récent qui a favorisé l'entrée de nombreux pays de ces régions dans la communauté. Certes, cette dernière s'est étendue, mais il n'est pas certain qu'elle se soit consolidée. D'où l'importance de chercher avec ces partenaires un pacte culturel et linguistique qui conjugue leurs intérêts et ceux de la communauté. Le contenu de ce pacte devrait arrêter les conditions communes pour l'appartenance à la communauté francophone internationale, pour ceux qui y sont déjà et ceux qui souhaitent la joindre.

Hors de ces perspectives, ni la France, ni le Québec, ni les communautés francophones de Belgique, de Suisse et du Canada hors Québec ne feront le poids dans la recomposition actuelle de l'espace culturel et linguistique mondial. Certes, leur langue commune ne disparaîtra pas. Mais, telles les langues scandinaves, elle devra faire son deuil de tout statut international, de tout rayonnement mondial, de toute prétention à occuper une place dans le club restreint des langues majeures au XXIe siècle.

Disons-le franchement aussi, le temps est venu pour les francophones de comprendre, d'approfondir et d'enrichir la double dimension de la Francophonie : d'une part, ses investissements en matière de coopération et, d'autre part, la dimension politique de ce qu'ils cherchent à accomplir ensemble.

Dans le monde tel qu'il est, ces deux chantiers sont indissociables. En réalité, ils ne font qu'un.

Certains ridiculisent la prétention de la Francophonie à exercer un mandat politique, «à jouer aux Nations Unies» comme ils le disent avec distance, ironie et mépris. Les mêmes, à n'en point douter, auraient durement jugé les dirigeants de la communauté francophone, et avec raison, si au lendemain de l'implosion de l'Union soviétique, ces derniers s'étaient montrés indifférents aux valeurs démocratiques et aux impératifs de promotion et de protection des droits humains qui, alors, s'imposaient à l'échelle du monde.

La prise en compte des liens entre la Francophonie et les événements qui ont structuré, déstructuré et restructuré la communauté internationale est indispensable à la compréhension de son itinéraire, de sa naissance, de ses évolutions et de sa situation actuelle.

Du rassemblement des nations

La Francophonie est née à la suite d'une mutation d'ensemble qui a transformé le monde, au lendemain de la Seconde Guerre mondiale, et placé au cœur de l'histoire contemporaine une idée neuve : le libre rassemblement des nations dans des communautés diverses.

Cette guerre a dévasté la communauté internationale telle qu'elle s'était édifiée dans la très longue durée. Dans un texte prémonitoire la précédant, le général de Gaulle avait décrit comme suit l'ampleur de ce qui allait se produire :

> Ne nous trompons pas, le conflit qui est commencé pourrait bien être le plus étendu, le plus complexe, le plus violent de tous ceux qui ravagèrent la terre. La crise politique, économique, sociale et morale dont il est issu revêt une telle profondeur et présente un tel caractère d'ubiquité, qu'elle aboutira fatalement à un bouleversement complet de la situation des peuples et de la structure des États[7].

Siège des puissances depuis le XVIe siècle, l'Europe est dévastée, sa prépondérance politique, économique et morale, ruinée. Elle est prise en tenailles entre des forces qui dominent pour près d'un demi-siècle son destin et celui du monde.

D'un côté, l'Union soviétique l'occupe en partie, et ses visées idéologiques et politiques s'accompagnent d'investissements et d'installations militaires provocants. De l'autre, préoccupés par le devenir des pays de l'Ouest du

---

7. Yves Durand, *Histoire générale de la Deuxième Guerre mondiale*, Bruxelles, Éditions Complexe, 1997, p. 19.

continent, les États-Unis insistent pour se porter garants de leur sécurité. Le Traité de Bruxelles de 1948 consacre le dessein américain.

Voici l'Europe assaillie par des interrogations, dont certaines la hantent toujours. Celle de sa reconstruction matérielle sollicite son attention immédiate ; celle de sa réponse aux pressions soviétiques alors dominantes, résolues pour un temps et à nouveau lancinantes ; celle de sa dépendance militaire vis-à-vis des États-Unis qui demeure toujours actuelle ; celle enfin de la reconquête de sa place dans les affaires du monde qui n'a cessé de la poursuivre depuis[8].

De nouvelles alliances incarnent « ce bouleversement complet de la situation des peuples et de la structure des États » évoqué par le général de Gaulle en 1941. Ces alliances traduisent les nouveaux rapports de force créés par la victoire des Alliés, qui est aussi la victoire des Soviétiques.

Au plan militaire, le Traité de l'Atlantique Nord est ratifié en 1949. La réplique soviétique vient, en 1955, avec la création du pacte de Varsovie. La même dualité se déploie dans le domaine économique. À la mise en place, en 1948, de l'Organisation européenne de coopération économique chargée de répartir l'aide américaine découlant du plan Marshall, les Soviétiques répliquent l'année suivante en créant le Conseil d'assistance économique pour les pays de l'Europe de l'Est.

Depuis l'Ancien Continent, « le bouleversement complet des peuples et de la structure des États » gagne l'immense mosaïque coloniale qui encercle la planète. Les puissances européennes ne sont plus en mesure d'y maintenir leur prépondérance imposée, dans certains cas depuis plus d'un siècle.

---

8. Jacques Leprette, *Une clef pour l'Europe*, Bruxelles, Bruylant, 1994.

Les guerres d'Indonésie, d'Indochine et d'Algérie illustrent la fragilité des puissances coloniales. En un quart de siècle, ce sont plus de 60 États qui accèdent à l'indépendance, et la mosaïque coloniale est entièrement résorbée avant la fin du siècle.

Certes, les batailles d'indépendance ont précédé le conflit mondial. L'Inde a obtenu son indépendance en 1947, l'Indonésie en 1949, fissurant dans ce dernier cas le «siècle d'or», cette autre appellation de la colonisation conduite par les Pays-Bas. Mais il est incontestable que le conflit mondial a servi la cause des indépendances. Il en a conforté les motifs, accéléré le rythme et accrédité le seul dénouement possible.

Les accommodements, anciens ou nouveaux, ne suffisent plus. La Grande-Bretagne a fait évoluer le cadre institutionnel de sa domination en transformant les conférences impériales en conférence des Dominions, en 1931, et a créé le Commonwealth en 1949. Ce faisant, elle inaugure un nouveau type de rassemblement politique qui, dans la durée, s'imposera pour d'autres communautés linguistiques, dont la Francophonie.

La France elle aussi a fait évoluer ses structures coloniales. Créé en 1894, son ministère des Colonies devient, en 1946, le ministère de la France d'outre-mer et, en 1958, l'Union française devient la Communauté française, selon les termes de la loi-cadre de Gaston Defferre. La même année, les colonies françaises, sauf l'Algérie, sont conviées à un buffet politique inédit. Le choix offert est réel: *statu quo*, adhésion à la communauté ou cessation du lien avec la puissance coloniale. À l'exception de la Guinée, toutes les colonies françaises font le choix de l'appartenance à la communauté.

Acquises par négociation ou gagnées par la force, les indépendances déstructurent un ordonnancement séculaire des rapports entre les peuples, rapports dominés par les grandes nations européennes. En conséquence, elles conduisent à une recomposition politique de grande envergure qui n'a pas cessé depuis d'occuper la communauté internationale.

Il s'agit de faire leur place à l'Inde, au Pakistan, à la Malaisie, aux Philippines, aux nations de l'Indochine, à la quasi-totalité des pays du continent africain. Plus de 60 nations accèdent à l'indépendance, dont le tiers appartient aujourd'hui à la Francophonie.

Désormais souveraines et libres de leurs alliances, ces dernières sont immédiatement sollicitées par les deux puissances antagonistes, invitées à choisir entre deux visions idéologiques, deux modèles socio-économiques, deux conceptions des rapports entre les hommes et entre ces derniers et le pouvoir. Certaines choisiront de ne pas choisir, d'autres deviendront les obligées de Washington ou de Moscou. On retrouve de nouveaux États francophones dans les deux camps, la majorité optant cependant pour la continuité de leurs rapports avec l'Ouest.

La défaite du Japon met fin à une politique expansionniste qui a successivement incorporé à l'empire japonais, la Corée, la Mandchourie, Taiwan, l'Indochine, la Malaisie, la Birmanie, les Philippines et des régions chinoises stratégiques. Elle met fin aussi à une idéologie posant la supériorité de la race nipponne et, en conséquence, son droit autoproclamé à dominer la grande Asie. Elle constitue enfin un facteur majeur dans la victoire des communistes en Chine, victoire qui en fait pour un temps l'alliée de l'Union soviétique et le promoteur et animateur d'une politique anti-impérialiste, antiaméricaine. La proclamation de la République populaire de Chine par Mao Tsé-toung, place Tienanmen, en 1949, met fin à une longue période d'occupation, de sujétion, de démembrement du grand empire par les puissances occidentales, la Russie et le Japon. Considérable en lui-même, l'événement participe à la recomposition inachevée de la communauté internationale et au bouleversement de « la situation des peuples ».

Ces mouvements d'ensemble se déploient à l'échelle de la planète. Leurs effets dominent la seconde moitié du XXᵉ siècle. En eux cohabitent rupture et continuité, destruction et régénération, legs historique et âpre jugement sur la période qui s'achève.

L'Europe comme référence

Ravagée par la guerre et troublée par la politique musclée de l'Union soviétique, l'Europe est prostrée. Sa reconstruction matérielle, politique et spirituelle appelle un sursaut de grande portée.

Inspiré par Jean Monet, le ministre des Affaires étrangères de la République française propose, en mai 1950, la «mise en commun du charbon et de l'acier des pays d'Europe». La déclaration de Robert Schuman est accueillie favorablement par le chancelier allemand et les responsables politiques de Belgique, des Pays-Bas, du Luxembourg et d'Italie. Cette mutualisation des ressources sert les intérêts diversifiés des futurs partenaires européens, tous préoccupés par la relance de l'économie et notamment du secteur industriel. L'Allemagne y voit une étape dans sa réhabilitation; Monet, l'obstacle à toute reprise des hostilités entre la France et l'Allemagne et une étape vers la création des États-Unis d'Europe.

Dans ce contexte, on cherche les voies et moyens susceptibles de libérer les Européens de la menace soviétique et de la tutelle américaine en matière de défense. Le traité qui répond à ces deux objectifs est agréé par tous les partenaires sauf la France, et il est alors abandonné. La conséquence est connue. Face à la menace soviétique, la défense de l'Europe est assurée jusqu'à aujourd'hui par les États-Unis dans le cadre de l'Organisation du Traité de l'Atlantique Nord (OTAN).

D'autres voies de coopération sont explorées et d'autres négociations conduites par les Européens de l'Ouest. À la conférence de Messine tenue en 1955, le concept de marché commun, incluant des tarifs extérieurs, une politique agricole partagée et une initiative atomique commune, la future Communauté européenne de l'énergie atomique (CEEA) suscite l'adhésion des partenaires. À la même époque, la Grande-Bretagne, les pays scandinaves et la Suisse créent l'Association européenne de libre-échange. Enfin, en 1957, le Traité de Rome pose les bases juridiques de l'Union européenne et consacre l'intégration supranationale de pays hier encore responsables du «conflit le plus étendu, le plus complexe et le plus violent de tous ceux qui ravagèrent la terre». L'utopie de la paix entre Européens évoquée par les philosophes commence à être mise en œuvre.

Isolée au plan international en conséquence de la guerre conduite en Algérie et inquiétée par la montée des revendications en «Afrique noire», la France plaide avec succès la nécessité d'une association entre l'Afrique et la nouvelle Europe, association consacrée dans le Traité de Rome.

Dans l'immédiat après-guerre, les événements européens constituent en eux-mêmes un épisode remarquable de l'histoire contemporaine. L'idée de rassemblement volontaire d'États souverains dans des ensembles supranationaux qu'ils incarnent n'est pas absolument inédite. Mais son extension à l'échelle de tous les pays du monde l'est cependant, ainsi que sa mise en œuvre dans le monde entier. Dans les décennies qui suivent sa propre mise en convergence, l'Europe sert de référence avouée pour la mise en place de communautés sur tous les continents. Encore récemment, le Groupe des Intellectuels pour le Dialogue Interculturel, constitué à l'initiative de la Commission européenne, affirmait que la formule dégagée en Europe «fournirait un modèle de référence indispensable à une planète tragiquement affectée par la gestion chaotique de sa propre diversité[9]».

9. Amin Maalouf, *Un défi salutaire: comment la multiplicité des langues pourrait consolider l'Europe*, Propositions du Groupe des

De l'Europe vers le monde

La plus grande diversité caractérise ce monde de communautés : communautés à vocation économique, communautés de défense, communautés de coopération dans l'exploitation de ressources communes à plusieurs pays, communautés fondées sur des langues et des cultures partagées, communautés spécialisées ou à vocation plus large, régionales ou continentales. La Francophonie est insérée dans ce maillage qui ne cesse de se développer. En effet, les communautés existantes s'enrichissent de nouveaux membres, de nouvelles communautés émergent telles l'Association de coopération de Shanghai, créée par la Chine, et l'Union de la Méditerranée proposée récemment par le président de la République française. Des liens se nouent et des ententes se font entre les communautés existantes. Le Marché commun du Sud (MERCOSUR) et la communauté des pays andins, le MERCOSUR et la Communauté pour le Développement de l'Afrique Australe (SADC), le MERCOSUR et l'Union européenne.

Ce sentiment de la nécessité de nouveaux rassemblements renverse le mouvement qui, depuis quatre siècles, a présidé à l'émergence, à la consolidation et à la défense des nations du monde. Ces dernières, dont la cohésion tenait jusque-là, en partie du moins, à leur antagonisme avec les peuples voisins, entrent avec eux dans des alliances politiques nouvelles, des pactes liant leurs espaces économiques, des traités visant la création d'institutions communes et consacrant leur soumission à un droit communautaire prépondérant[10]. Tel fut le cas pour les nations

intellectuels pour le dialogue interculturel constitué à l'initiative de la Commission européenne, Bruxelles 2008, p. 4.

Voir http://ec.europa.eu/education/policies/lang/doc/maalouf/report_fr.pdf.

10. À titre d'exemple, l'ASEAN et la SADC ont été créées pour se protéger dans le premier cas du Vietnam, dans le second de l'Afrique du Sud. Depuis, ces deux pays ont intégré ces communautés régionales.

rivales de l'Europe jusqu'à l'abandon de leurs monnaies, ce symbole privilégié de la souveraineté.

Ce phénomène domine notre temps. Certes, il n'est pas susceptible d'éteindre tous les conflits et d'assurer tous les développements. Mais sa contribution à la stabilité et à la croissance est indéniable. L'est aussi sa contribution à l'émergence de normes, de règles et de mécanismes favorisant le règlement de conflits et le partage d'objectifs visant le maintien de la sécurité commune, la conjugaison des intérêts économiques, l'approfondissement des règles de gouvernance et, dans de nombreux cas, la consolidation de l'État de droit incluant la promotion et la protection des droits humains.

À quelques rares exceptions près, la quasi-totalité des pays du monde appartiennent simultanément à plusieurs de ces communautés ou sollicitent leur adhésion à de nouvelles communautés. La Tunisie par exemple est membre de l'Union africaine, de la Ligue arabe, de l'Union du Maghreb arabe, de la Francophonie et signataire d'un accord de libre-échange avec l'Union européenne. Elle fera partie de l'Union méditerranéenne si ce rassemblement est créé.

Des ententes interviennent entre les communautés, et les projets de mégacommunautés dites de la seconde génération se sont multipliés à la fin du siècle dernier : zone de libre-échange entre les pays européens et américains riverains de l'Atlantique, zone de libre-échange des Amériques fédérant l'ensemble des pays de l'hémisphère, zone de libre-échange entre les pays asiatiques et américains riverains du Pacifique, Communauté économique africaine regroupant les cinq communautés régionales du continent.

La montée de cette architecture institutionnelle constitue, au jugement d'un grand nombre, un acquis considérable pour la délibération, la médiation, la stabilité, la croissance et le développement. Ceux-là estiment que ces nouveaux espaces sont les matériaux de l'aménagement de la communauté internationale au XXIᵉ siècle. D'autres s'inquiètent des risques virtuels de conflit que comporte, à leur avis, cette mise en place de nouvelles puissances. Tous, cependant, constatent l'attraction considérable de la doctrine et de la politique de rassemblement et d'intégration qui, depuis un demi-siècle, transforme les rapports entre les nations et renouvelle les relations internationales.

Ce monde de communautés n'est pas épuisé par le vaste éventail des groupements continentaux et régionaux, comme évoqué trop brièvement dans cet ouvrage. En effet, d'autres rassemblements ont émergé dans l'histoire ce dernier demi-siècle, ceux-là fondés sur des qualités culturelles et des héritages linguistiques partagés. Ces qualités culturelles n'étaient d'ailleurs pas absentes de la mise en place des groupements régionaux. Le cas de l'Europe est concluant tant le débat sur les valeurs communes des partenaires européens a été et demeure central.

S'ils n'ont pas l'homogénéité territoriale et économique des premiers, les rassemblements fondés sur des qualités culturelles et des héritages linguistiques n'en ont pas moins connu une expansion continue témoignant de l'intérêt et de la fécondité de la formule. Aujourd'hui, près des deux tiers des États du monde ont adhéré librement à ces rassemblements : Commonwealth des nations (1949)[11], Ligue des États arabes (1945)[12], Organisation internationale de la

---

11. Membres du Commonwealth des nations (les pays inscrits en italique font également partie de l'OIF) : Antigua-et-Barbuda, Australie, Bahamas, Bangladesh, Barbade, Belize, Botswana, Brunei Darussalam, *Cameroun*, *Canada*, Chypre, *Dominique*, îles Fidji, Gambie, *Ghana*, Grenade, Guyane, Inde, Jamaïque, Kenya, Kiribati, Lesotho, Malawi, Malaisie, Maldives, Malte, *Maurice*, *Mozambique*, Namibie, Nauru, Nouvelle-Zélande, Nigeria, Pakistan, Papouasie-Nouvelle-Guinée, Saint-Kitts-et-Nevis, Sainte-Lucie, Saint-Vincent-et-les-Grenadines, Samoa, *Seychelles*, Sierra Leone, Singapour, Îles Salomon, Afrique du Sud, Sri Lanka, Swaziland, Tonga, Trinité-et-Tobago, Tuvalu, Ouganda, Royaume-Uni, Tanzanie, Vanuatu, Zambie.
12. Membres de la Ligue des États arabes (les pays inscrits en italique font également partie de l'OIF) : Algérie, Bahreïn, *Comores*, *Djibouti*,

Francophonie (1970), Organisation des États ibéro-américains (1985)[13], Communauté des pays de langue portugaise (1992)[14] et Communauté turcophone (1992).

Dans le temps, les modes de gouvernance de ces communautés se sont sensiblement rapprochés avec, dans tous les cas, la tenue de Sommets des chefs d'État et de gouvernement, la convocation de conférences ministérielles, la création de commissions d'experts, l'identification et la mise en œuvre de programmes de coopération linguistique, éducative, culturelle et technique. À la fin du siècle dernier, la conjoncture internationale les a conduits à investir le champ politique et, pour la plupart d'entre elles, à affirmer leur adhésion aux valeurs démocratiques, aux exigences de l'État de droit et du respect des droits humains et à développer des coopérations dans ces domaines. La Francophonie ne constitue pas une exception à cet égard. Enfin, ces communautés se sont récemment rapprochées les unes des autres, ont inauguré un dialogue entre elles et arrêté des coopérations concernant les effets de leur commune adhésion à la philosophie et à la politique privilégiant l'expression de la diversité culturelle.

Égypte, Émirats arabes unis, Irak, Jordanie, Koweït, *Liban*, Libye, *Mauritanie*, *Maroc*, Oman, Palestine, Qatar, Arabie saoudite, Somalie, Soudan, Syrie, *Tunisie*, Yémen.

13. Créée en 1949 sous l'appellation *Oficina de Educación Iberoamericana*, l'OEI comprend aujourd'hui les pays suivants : Argentine, Bolivie, Brésil, Colombie, Costa Rica, Cuba, Chili, République dominicaine, Équateur, El Salvador, Espagne, Guatemala, *Guinée équatoriale*, Honduras, Mexique, Nicaragua, Panama, Paraguay, Pérou, Portugal, Puerto Rico, Uruguay, Venezuela.

14. Membres de la CPLP (les pays inscrits en italique font également partie de l'OIF) : Portugal, Brésil, *Cap-Vert*, Angola, *Sao Tomé e Principe*, *Mozambique*, *Guinée-Bissau*, Timor Leste.

CHAPITRE DEUXIÈME

La prépondérance anglo-saxonne

L'idée et la réalité de la prépondérance anglo-saxonne dominent une certaine littérature consacrée à l'évolution culturelle du monde depuis la Seconde Guerre mondiale. Certains proclament sa victoire et affirment que «le cœur de la bataille culturelle a été perdu lors du conflit politico-linguistique pour maintenir le français comme langue internationale[1]». D'autres s'en affligent et fustigent «la menace d'"américanisation", [...] dénoncée aujourd'hui dans le monde entier[2]». Ceux-là sont confortés par la superbe de certains analystes anglophones. Ainsi, selon l'éditeur de l'*Oxford English Dictionary*, Robert Burchfield :

> La langue anglaise est aussi devenue une *lingua franca*, à tel point que toute personne instruite se retrouve réellement démunie si elle ne connaît pas l'anglais. La pauvreté, la famine et la maladie sont tout de suite reconnues comme les formes les plus cruelles et les moins excusables d'adversité. Lorsque linguistique, cette adversité est moins facilement détectable, mais elle demeure d'une importance certaine[3].

---

1. Eric J. Hobsbawm, *Les enjeux du XXIe siècle*, Paris, Éditions Complexe, 2000, p. 156.
2. Serge Arnaud, Michel Guillou et Albert Salon, *op. cit.*, p. 47.
3. Robert Phillipson, *Linguistic Imperialism*, Oxford, Oxford University Press, 1993, p. 5. «*English has also become a lingua franca to the*

À l'autre antipode, l'émergence d'une conscience renouvelée de la diversité culturelle et linguistique de la famille humaine, de sa réalité et des exigences politiques en découlant dessine les contours de la nouvelle configuration de l'espace culturel mondial. L'avenir des cultures et des langues s'insère dans une problématique d'ensemble, le fait culturel et linguistique constituant un élément majeur d'une géolinguistique indissociable de la géopolitique à l'œuvre dans un temps donné.

Dans ces perspectives, la réflexion porte normalement sur les conditions inédites ouvertes par la mondialisation, conditions qui ont et auront des conséquences majeures sur le destin des cultures et des langues, y compris de la langue française au XXIe siècle. Ce sont les suivantes :

- porosité des frontières nationales désormais rendues caduques par la nouvelle architecture technologique englobant la planète. Cette architecture touche au cœur les principes de la souveraineté culturelle des États : maîtrise des flux extérieurs, sélection des genres de production jugés essentiels, fixation de quotas et limites imposées à la pénétration des productions et des langues étrangères ;
- multiplication des passerelles technologiques reliant les communautés humaines à l'échelle planétaire. Phénomène sans précédent, ces passerelles rejoignent des milliards de personnes individuellement grâce à des supports qui ne cessent de se multiplier : Internet, chaînes satellitaires, télévisions mobiles personnelles, téléphones cellulaires, lecteurs MP3, etc. ;
- émergence du tout numérique et son cortège de nouveaux médias alimentés par des modes de production, de diffusion, d'échange et de distribution transformant radicalement les fonctions classiques de fournisseurs et de consommateurs ;

point that any literate educated person is in a very real sense deprived if he does not know English. Poverty, famine, and disease are instantly recognized as the cruellest and least excusable forms of deprivation. Linguistic deprivation is a less easily noticed condition, but one nevertheless of great significance. »

- plurilinguisme intégré aux outils technologiques de recherches, de divertissements et d'offres commerciales et de services;
- nouvelle pluralité culturelle et linguistique au sein de nombreux pays en Europe, en Amérique du Nord, en Asie du Sud et en Afrique subsaharienne, pluralité découlant des forts mouvements de populations actuels et à venir;
- montée inexorable de quelques grandes langues asiatiques, en Asie et dans le monde;
- fin d'une logique soustractive des langues minoritaires, et entrée récente dans une logique de reconnaissance et d'addition de ces langues considérées désormais comme partie des droits fondamentaux de ceux et celles qui en sont les locuteurs;
- pratiques culturelles et linguistiques des nouvelles générations, à l'aise dans cette territorialité virtuelle avec l'univers comme horizon et l'accès à des possibles quasi illimités comme champ d'application, à l'aise aussi face à la diversité et au métissage. Rompues au maniement de leviers technologiques sans cesse plus performants, ces nouvelles générations, tels des astronautes sédentaires, circulent dans un univers pluriculturel et plurilinguistique qu'elles sont les premières à connaître, à exploiter et à maîtriser. Ces pratiques culturelles des nouvelles générations sont enrichies par les politiques pédagogiques qui, partout dans le monde, encouragent l'apprentissage d'une ou de plusieurs langues étrangères. Dans leur rapport *Un défi salutaire*[4], les intellectuels européens pour le dialogue interculturel, dont d'éminentes personnalités francophones, proposent le concept de «langue personnelle adoptive», cette seconde langue qui deviendrait pour chaque enfant européen sa deuxième langue maternelle.

Ces conditions inédites ouvertes par la mondialisation facilitent la création de nouvelles ambitions linguistiques et culturelles affirmées et mises en œuvre par des puissances qui, hier encore, manifestaient peu ou pas d'intérêt pour cette dimension de leur présence et de leur influence

---

4. Amin Maalouf, *op. cit.,* p. 10.

dans le monde. La question de l'avenir des langues au XXIe siècle, y compris celui de la langue française, se pose dans ces nouvelles perspectives, dans cette conjoncture renouvelée découlant des changements du monde dont il importe de prendre la mesure exacte.

Pax britanica, pax americana

La politique et la géopolitique qui ont nourri l'expansion de la langue anglaise à l'échelle de la planète depuis près de deux siècles ne sont certes pas encore arrivées à leur terme, et leur potentiel demeure considérable. Cependant, elles ne disposent plus, avec la même assurance, de l'ensemble des avantages considérables que leur a conféré l'enchaînement chronologique de la prééminence de la Grande-Bretagne et des États-Unis d'Amérique dans les affaires du monde entre la fin du XIXe siècle et le début du présent millénaire.

Au plan linguistique, ces prépondérances successives et cumulatives des deux puissances, dans la longue durée de l'histoire, ont eu de nombreuses conséquences. Ce déplacement du centre, de Londres à Washington, aurait pu marquer une rupture en ce qui concerne la langue prépondérante. Il n'en fut rien. Le passage du témoin se fit sans interprète. La *pax americana* parle la même langue que la *pax britanica*. Les flux nouveaux et puissants d'initiatives dans tous les domaines en provenance de la nouvelle puissance américaine se coulèrent dans la langue déjà prépondérante, la confortant, lui assurant des assises encore plus étendues et des conditions enrichies d'affirmation et d'expansion.

La progression de la langue anglaise dans le monde découla en partie de cette conjoncture historique inédite, elle-même conséquence de l'affaiblissement de la Grande-Bretagne au lendemain de la Seconde Guerre mondiale et de la politique américaine visant à tirer le maximum de bénéfices du démembrement de l'empire britannique[5]. Cependant, elle n'en est pas uniquement la conséquence mécanique. En effet, la promotion de la langue anglaise bénéficia d'une forte volonté politique, d'une stratégie d'intervention et de coopération concertée entre Londres et Washington, épousée à un moindre niveau par le Canada, l'Australie et la Nouvelle-Zélande.

Robert Phillipson a retracé les étapes essentielles de cette politique, dont l'importante *Anglo-American Conference on teaching abroad*, qui s'est tenue à Washington D.C. en 1961[6]. Il a montré l'importance de cette coalition en matière de politique et de diplomatie culturelles et linguistiques, rappelé que ses interventions étaient considérées comme un instrument majeur de la politique étrangère des États concernés qui explique la hauteur des investissements consentis, investissements en constante expansion « depuis un demi-siècle ».

À ces ressources publiques se sont ajoutées celles du secteur privé et principalement des grandes fondations américaines. Selon l'appréciation de R.C. Troike :

> En moins de quatre siècles, l'anglais est devenu la langue dominante des communications internationales. Cette évolution remarquable est finalement le résultat des succès de conquête, de colonisation et de commerce britanniques, mais elle s'est énormément accélérée avec l'émergence des États-Unis en tant que puissance militaire majeure et chef de file technologique après la Deuxième Guerre mondiale. Le processus a été grandement aidé par la mise à disposition d'importantes sommes en financement public et privé entre 1950 et 1970 ; possiblement les sommes les plus considérables engagées pour la propagation d'une langue dans l'histoire[7].

---

5. Andrew Norman Wilson, *After the Victorians: The decline of Britain in the World*, New York, Farrar, Straus & Giroux, 2005.

6. R. Phillipson, *op. cit.*, p. 309.

Voir aussi : Bernard Porter, *Empire and Superempire : Britain, America, and the World*, New York, Yale University Press, 2006.

7. Rudolph C. Troike, « The future of English », Editorial, *The linguistic Reporter*, 19/8 : 2, 1977, in R. Phillipson, *op. cit.*, p. 7. « *English has in*

Ceux qui croient toujours au « marché naturel des langues » ont matière à réflexion à partir de cette simple affirmation : « les sommes les plus considérables engagées pour la propagation d'une langue dans l'histoire ».

Ces analyses ont été reprises et confirmées récemment par W.R. Mead dans un ouvrage monumental au titre immodeste : *God and Gold: Britain, America and the Making of the Modern World.* L'auteur y retrace les étapes majeures du « plus important événement géopolitique des temps modernes : la naissance, l'ascension, le triomphe, la défense et la croissance continues de la puissance anglo-américaine malgré une opposition constante et sans cesse renouvelée[8] ».

Au-delà de la seule sphère linguistique mais l'incorporant, c'est une culture, selon Mead, qui se répand dans le monde, une culture proposant un système politique libéral privilégiant le compromis et le pluralisme ; la séparation des pouvoirs et la tolérance religieuse ; le système capitaliste comme moteur de la croissance, de l'innovation et de la production de la richesse. Eric J. Hobsbawm dit la même chose autrement :

> L'Amérique n'est pas seulement un État ; elle vise à transformer le monde selon un certain modèle. Ainsi l'hégémonie culturelle américaine possède-t-elle une dimension politique que l'hégémonie britannique n'avait pas... Le désir de se

---

less than four centuries come to be the leading language of international communication in the world today. This remarkable development is ultimately the result of [...] British successes in conquest, colonization, and trade, but it was enormously accelerated by the emergence of the United States as the major military world power and technological leader in the aftermath of World War II. The process was also greatly abetted by the expenditure of large amounts of government and private foundation funds in the period 1950-1970, perhaps the most ever spent in history in support of the propagation of a language.

8. Owen Harries, « Anglo-Saxon Attitudes : The Making of the Modern World », Review Essay dans *Foreign Affairs*, January/February 2008, p. 170. « ... *the biggest geopolitical story in modern times : the birth, rise, triumph, defense, and continuing growth of Anglo-American power despite continuing and always renewed opposition and conflict* ».

présenter comme un modèle universel est inhérent au système américain[9].

L'exportation de cette «culture» était et est tributaire d'une liberté d'action par ses promoteurs, liberté dépendante d'un accès fluide et continu au reste du monde. D'où les stratégies de domination des mers, de course à l'armement, d'investissements massifs dans les technologies de communication et de surveillance, d'exploration spatiale et autres leviers de la prépondérance. D'où aussi le recours aux méthodes d'intervention les plus rudes et les moins avouables.

> Cupidité, lâcheté, arrogance, complaisance, paresse et suffisance: tous les vices connus de l'histoire ont sévi à travers les politiques des États maritimes. Ces derniers se sont rendus coupables de pratiquement toutes les folies et de tous les crimes.

Le déploiement d'une telle puissance et de telles méthodes n'a pas été sans susciter de vives réactions, dont Walt a dressé un inventaire saisissant[10].

La mondialisation est l'aboutissement de cette épopée géopolitique. Elle en dessine peut-être aussi sa limite[11].

Aboutissement de la mondialisation

L'aboutissement se décline dans une liste significative de mutations successives ou parallèles de portée historique. Ces dernières créèrent pour un temps plutôt bref l'impression d'un approfondissement et d'une consolidation du système international tels que défini, voulu et déployé par la coalition anglo-saxonne:

---

9. Eric J. Hobsbawm, *op. cit.* p. 58.
10. Stephen M. Walt, *Taming American Power: The Global Response to U.S. Primacy*, New York, Norton, 2005.
11. Jean-Louis Roy, *Technologies et géopolitique à l'aube du XXIᵉ siècle*, Montréal, Hurtubise HMH, 2003.

- évolution continue et accélérée des systèmes de communication et d'information et leurs effets à l'échelle
  mondiale ;
- implosion de l'Union soviétique et dissolution des alliances
  politiques, économiques et militaires qu'elle dominait ;
- ralliement quasi universel, y compris de la Chine, à l'économie de marché ;
- « vagues de démocratisation » qui ont transformé la nature
  des régimes politiques de près de la moitié des pays membres des Nations Unies ;
- offensive partiellement réussie visant à dissoudre tous les
  obstacles à la libre circulation des capitaux, des biens et
  des services, offensive conduite au sein de l'Organisation
  mondiale du commerce (OMC) ;
- multiplication des projets de création de vastes zones de
  libre-échange dans la quasi-totalité des régions du monde.

Limite de la mondialisation

La limite se décline, elle aussi, dans une liste significative
d'événements de grande portée faisant apparaître les fra-
gilités de la nouvelle situation internationale :

- difficultés croissantes dans les négociations internationales commerciales et forte mobilisation des organisations
  de la société civile, dans un premier temps, et des pays
  émergents et en développement, dans un second, contre
  les iniquités qui, à leur jugement, découlent des nouvelles
  règles concernant notamment le commerce, l'investissement et les services. Ces difficultés vont marquer toutes
  les étapes de la négociation au sein de l'OMC jusqu'à son
  blocage actuel ;
- mise en veilleuse, voire abandon des négociations visant
  la création de vastes zones de libre-échange dont notamment celle prévue pour les Amériques et celle annoncée
  pour les pays membres du Groupe de Coopération économique Asie-Pacifique ;
- déplacement du terrorisme international en direction des
  États-Unis et frappes dramatiques et spectaculaires, à
  New York et Washington, le 11 septembre 2001, suivies de

frappes en Tunisie, au Maroc, en Algérie, en Arabie saoudite, en Grande-Bretagne, en Espagne et en Indonésie ;
- mise à mal des règles du droit international et de traités
internationaux dédiés au maintien de la paix et de la
sécurité au profit, dans le cas de l'invasion et de l'occupation de l'Irak, de la doctrine unilatérale de frappes
préventives défendue et mise en œuvre par les États-
Unis ;
- accession de l'Inde et du Pakistan au club des pays disposant de l'arme nucléaire ;
- échec du plan de démocratisation du Moyen-Orient tel
que défini et mis en œuvre par Washington, et plongée de
cette grande région dans une phase de convulsions sans
précédent ;
- multiplication des crises graves sur le continent africain
et notamment dans la région des Grands Lacs d'Afrique
et au Soudan avec leur tragique cortège de destructions
et de négations des droits et incapacité de la communauté
internationale de contribuer à leur règlement ;
- échec du plan de réforme des Nations Unies, et notamment du Conseil de sécurité, pour le rendre conforme aux
réalités de la communauté internationale telles qu'elles se
présentent au début de ce siècle.

Cet ensemble considérable d'avancées et de reculs, de
mutations et de bouleversements ont mis à mal les projections les mieux assurées sur le nouvel ordre international.
Ceux qui annonçaient la fin de l'histoire et le ralliement de
l'humanité à un système de références convergentes, voire
uniques, ont été désavoués par son imprévisibilité, par les
conséquences du croisement de ces mutations et de ces
bouleversements, de ces avancées et de ces reculs. Ils ont
été confondus par les fortes résistances et les propositions
de rechange venues notamment des pays émergents.

Dans sa version actuelle, la mondialisation est une
donnée incontestable et sans doute irréversible. Elle a
indiscutablement placé dans l'histoire certains des éléments constitutifs de ce que Walter Russell Mead a appelé
« le plus important événement géopolitique des temps

modernes », tels que déployés par la Grande-Bretagne dans un premier temps, les États-Unis d'Amérique dans un second, et leur coalition durable depuis la Seconde Guerre mondiale. On pense à l'économie de marché comme moteur de la croissance, de l'innovation et de la production de la richesse, à la libéralisation des flux financiers et des règles du commerce international, ainsi qu'à une extension indiscutable des principes démocratiques dans de nombreux pays du monde. Cependant, la mondialisation n'a pas suivi le scénario établi par ces puissances. Elle a produit des bouleversements considérables que nul n'avait anticipés.

Une nouvelle configuration

La prépondérance américaine est toujours apparemment manifeste. Sa part dans le PIB, la recherche et le développement et en matière de défense au plan mondial représente respectivement 30 %, 35 % et 50 %. Cependant, la mondialisation a fait varier le poids respectif des uns et des autres dans l'économie et conduit à des transferts de ressources et de capacités de très grande portée. Ces derniers laissent entrevoir ce que pourrait être la configuration géopolitique dominante au XXIe siècle.

Les domaines affectés constituent la deuxième génération des vastes transferts qui sont au cœur de la mondialisation. Si, dans un premier temps, l'attention a surtout été sollicitée par les volumes d'investissements, la délocalisation des entreprises et les ententes technologiques relativement modestes, les mouvements en cours sont d'une autre nature et demeurent susceptibles d'affecter durablement la prépondérance américaine et occidentale. Cette deuxième génération de transferts concerne la production de la science et l'innovation technologique, la maîtrise de l'économie mondiale et la supériorité militaire. Conjugués, ces déplacements dessinent d'une manière encore floue une nouvelle configuration des puissances au XXIᵉ siècle et laissent entrevoir une recomposition substantielle du système international.

La production des savoirs

Deux éléments constitutifs de la mondialisation, la libéralisation des économies à l'échelle de la planète et la mondialisation du système d'information et de communication, ont modifié durablement la capacité des uns et des autres à produire et à appliquer la science et la technologie. Certes, les capacités des nouveaux producteurs dans ces domaines n'ont pas encore le calibre du système américain. Cependant, leur performance actuelle et virtuelle apparaît de plus en plus convaincante et étendue. Si les mouvements actuels se maintiennent, ils sont susceptibles de bouleverser certains des fondements qui ont contribué à la maîtrise des conditions de la création scientifique et technologique, de l'innovation et, en conséquence, de la production de la richesse et de la croissance par les États-Unis et leurs partenaires occidentaux. En témoignent :

- l'entrée des pays dits émergents dans la production des biens technologiques avancés, allant du domaine spatial au nucléaire, de l'aéronautique aux nouveaux matériaux, de la pharmacologie aux produits de communication et d'information et de la montée spectaculaire de ces pays comme utilisateurs des TIC. Début 2008, le nombre d'internautes en Chine a dépassé celui des utilisateurs aux États-Unis et le potentiel comparé de croissance est considérable dans le cas de la Chine, très limité dans le cas des États-Unis ;
- la délocalisation des installations, des équipes de chercheurs et des budgets de recherche des grandes sociétés occidentales en direction des pays émergents et principalement ceux de la grande Asie. Une enquête conduite en 2005 par la Edwing Marion Kaufman Foundation

auprès des 200 plus importantes multinationales nord-américaines et européennes représentant 15 secteurs industriels révélait l'ampleur des transferts en cours : 40 % d'entre elles avaient décidé de délocaliser leurs activités de recherche et développement ainsi que leurs établissements et installations de recherche haut de gamme en Asie : 50 % avaient décidé d'investir exclusivement dans cette région du monde en recherche et développement au cours des 5 années suivantes ; enfin, la majorité d'entre elles ne prévoyaient pas de croissance de leurs centres de recherche et développement en Europe ou aux États-Unis[12]. Ce mouvement n'est pas limité à la trajectoire Ouest-Est. En effet, les sociétés japonaises du domaine informatique délocalisent leurs unités de recherche et de développement en Chine, qu'ils perçoivent comme le futur laboratoire mondial du design[13] ;

– la montée spectaculaire de la demande de brevets en provenance de l'Asie du Nord-Est et de l'Asie du Sud-Est, selon l'Organisation mondiale de la propriété intellectuelle (OMPI). Si les demandes de brevet dans le monde ont augmenté de 4,7 %, celles provenant de la Corée du Sud ont doublé et elles ont été multipliées par huit par la Chine entre 1995 et 2005. Dans ce dernier cas, elles ont augmenté de 42,1 % pour la seule année 2005. Certes, il faut prendre en compte les seuils de départ, mais les avancées asiatiques en cours bouleversent déjà et bouleverseront encore davantage dans l'avenir la géographie de l'innovation qui, depuis 250 ans, est essentiellement centrée dans les pays industrialisés de l'Occident et au Japon. À ce rythme, ces transferts et inventions feront de l'Asie l'une des sources majeures de la science et de la technologie au XXIe siècle[14].

---

12. Suzanne Dansereau, « La délocalisation outre-mer s'étend à la R-D », *Les Affaires*, 11 mars 2006, p. 35.

13. James Brooke, « Japan Braces for a 'Designed in China' World », *New York Times*, 21 avril 2002, p. B1.

14. Organisation mondiale de la propriété intellectuelle, *Rapport de l'OMPI sur les brevets : Statistiques sur l'activité-brevets dans le monde (édition 2007)*, Genève, 2007.

Voir www.wipo.int/ipstats/fr/statistics/patents/patent_report_2007.html.

La maîtrise de l'économie

En seulement 15 ans, entre 1990 et 2005, la modernisation des économies de la Chine, de l'Inde, du Brésil et de quelques autres pays émergents a fait varier certaines des assises qui contribuaient à la maîtrise des clés de l'économie mondiale par les États-Unis d'Amérique et leurs partenaires occidentaux. Parmi ces principes, on retiendra les suivants :

– Variation de la destination des flux des investissements privés internationaux en direction de certains pays du Sud, dont la Chine. Depuis 1990, cette dernière a reçu près de 750 milliards de dollars de ces investissements. Dans son édition 2007, le traditionnel classement réalisé par le cabinet conseil ATKearney sur la confiance des investisseurs, 15 des 25 pays retenus appartiennent à la catégorie des pays émergents et 7 de ces pays se retrouvent parmi les 10 premiers de cette sélection, dominée par la Chine et l'Inde.

– Montée de puissantes multinationales dans les pays émergents. Leur progression est considérable[15]. Pour prendre la mesure de ces avancées, il suffit de rappeler que le marché boursier en Chine occupe depuis peu le deuxième rang mondial avec un taux de croissance de 169 % en 2007, déclassant le Japon qui lui a connu, pour la même année, un taux négatif de 9 %, et dépassant les marchés boursiers combinés de l'Inde, de la Russie et du Brésil[16]. En conséquence, ces multinationales ont acquis une capacité d'expansion jusque-là réservée aux sociétés des économies dites développées, capacité d'expansion qu'elles

---

15. 29 % de croissance moyenne annuelle, 17 % de rentabilité opérationnelle pour une sélection de 100 de ces multinationales étudiées en 2007 par le cabinet de conseil en stratégie Boston Consulting Group. Annie Kahn, « Les 100 multinationales qui changent la donne », *Le Monde*, 5 décembre 2007.

16. Bloomberg News, janvier 2008.

déploient dans un grand nombre de domaines, y compris la recherche et le développement.

– Transformation des résultats nets du commerce international en faveur de la Chine, dont les échanges commerciaux ont atteint 2 170 milliards de dollars en 2007, une progression de 47,7 % par rapport à l'année précédente. Selon la Banque mondiale, la Chine pourrait occuper, dès 2009, le premier rang des pays exportateurs. Le cumul des excédents commerciaux engrangés par la Chine s'élève à plus de 1 800 milliards de dollars. Véritable trésor de guerre que la Chine a commencé à redéployer en investissant à l'étranger à travers son opérateur spécialisé, The China Investment Co., dont le capital initial a été fixé à 200 milliards de dollars. En visite en Chine, en janvier 2008, le premier ministre britannique prenait acte : « Je veux, déclarait-il alors, que la Grande Bretagne soit le premier endroit pour les investissements chinois, en Europe et dans le reste du monde[17]. » Cette ambition témoigne d'une réalité nouvelle dans l'économie mondiale. Elle annonce aussi une compétition, hier encore impensable, entre les pays industrialisés pour les investissements chinois.

– Croissance spectaculaire de la demande et du prix du pétrole et, en conséquence, accumulation de réserves financières par les pays producteurs, et particulièrement ceux du Golfe. En 2008, leurs réserves financières totalisent 1 900 milliards de dollars.

Ces fonds souverains, celui de la Chine et celui des États du Golfe, constituent de très importantes réserves financières dont le potentiel de croissance et de puissance est considérable. L'économiste québécois Michel Nadeau

---

17. Marc Lebeaupin, « Londres veut accueillir des investissements substantiels chinois », RFI, 18 janvier 2008.
Voir www.rfi.fr/actufr/articles/097/article_61637.asp.

évoque «une force de frappe explosive[18]». Leur investissement dans des sociétés occidentales dans les secteurs des
services financiers, des fonds d'investissement, des sociétés
boursières, immobilières et de services illustrent déjà ce
renversement des flux d'investissement qui ira croissant
dans les prochaines décennies en faveur de ceux qui les
contrôlent. Si l'actif de ces fonds totalisait 2 500 milliards
de dollars en 2007, il devrait atteindre 12 000 milliards en
2015[19].

L'existence de ces fonds met à mal certains des dogmes
de l'économie de marché; le fait notamment que ce sont
des capitaux d'État qui, à grande échelle, risquent de
prendre le contrôle de sociétés privées. En Occident, on
s'inquiète devant de telles perspectives, devant la possibilité que certains de ces fonds deviennent «des instruments
géopolitiques de leur gouvernement, avec tous les risques
que cela suppose en matière de politique internationale[20]».
On s'inquiète aussi d'une politique concertée de la Chine
et des pays du Golfe, s'agissant de leur stratégie d'investissement international, politique qui fut au cœur des travaux
du Sommet Chine-Moyen-Orient consacré à l'investissement, tenu à Dubaï en septembre 2007[21]. On s'inquiète
enfin des façons de faire de ces puissants investisseurs. Le
G8 a réclamé plus de transparence concernant les intentions d'investissement et la composition des portefeuilles.
«Pourquoi les fonds souverains chinois ou arabes seraient
astreints à des exigences de transparence qui n'ont jamais
concerné les fonds spéculatifs et les fonds de capital d'investissement occidentaux?» répliquent les responsables des
fonds chinois et du Golfe.

---

18. Michel Nadeau, «Les fonds souverains à l'assaut du monde avec
2 500 milliards de dollars», *Les Affaires*, 23-28 février 2008.
19. *Ibid.*
20. *Ibid.*
21. Simeon Kerr, «With cash to burn, China and Mideast eye each
other's riches», *Financial Times*, 6 septembre 2007.

La mondialisation n'a pas encore produit tous ses effets. Cependant, elle concourt, sans conteste, à un rééquilibrage économique majeur et inachevé. La part des pays émergents dans le PIB mondial pourrait atteindre les 66 % en 2025. Elle compte pour 50 % aujourd'hui. En 1930, sa part était limitée à 30 %. Pour la première fois dans l'histoire récente, certains évoquent la possibilité d'un développement dissocié de l'économie mondiale et de l'économie américaine, la première demeurant robuste même si la seconde entrait en récession. Impensable depuis un demi-siècle, cette dissociation traduit une perte de centralité et de contrôle des États-Unis et le poids des nouvelles puissances dans l'économie mondiale. La montée spectaculaire du commerce et de l'investissement Sud-Sud pourrait ouvrir une nouvelle phase dans la mondialisation. Cette phase serait marquée par la prépondérance des acteurs économiques du Sud dans l'ensemble des marchés du Sud[22]. Telle est l'une des thèses centrales du dernier ouvrage de Kishore Mahbubani[23]. Certains se réjouissent de cette perspective. D'autres s'en inquiètent et s'interrogent sur les conséquences d'une telle mutation sur le système international, y compris le droit international des droits de la personne, le droit international humanitaire et les diverses avancées en matière de justice internationale. Tous cependant reconnaissent que la taille de l'économie des pays membres du BRIC (Brésil, Russie, Inde et Chine) surpassera vraisemblablement celle des pays membres du G8 (États-Unis, Japon, Allemagne, Grande-Bretagne, France, Italie, Canada, Russie, Union européenne) dans 20 ans, et que la taille de l'économie chinoise devrait atteindre celle des États-Unis quelques années plus tard.

---

22. David Wessel, « The Rise of South-South Trade », *The Wall Street Journal*, 3 janvier 2008, p. 2.

23. Kishore Mahbubani, *The new Asian hemisphere: the irresistible shift of global power to the East*, New York, Public Affairs, 2008, p. 8.

La supériorité militaire

La prépondérance militaire américaine est incontestée et incontestable. L'Amérique, dit-on, est le seul pays capable d'intervenir dans toutes les régions du monde. Ce positionnement n'est cependant pas sans limitations, comme le prouvent l'invasion et l'occupation de l'Irak, les difficultés des forces de l'OTAN en Afghanistan, l'échec du plan de démocratisation du grand Moyen-Orient et les menaces de puissances non étatiques pouvant avoir accès à des ressources offensives mondiales, en raison de la perte de maîtrise des matières fissiles sur le marché mondial. S'ajoutent à cette liste impressionnante et inquiétante la prolifération de l'armement nucléaire et l'effondrement des traités internationaux, dont le traité limitant les forces conventionnelles en Europe, renié par le président Poutine en décembre 2007.

À moins que Washington ne réussisse à dynamiser l'Alliance atlantique, à convaincre ses membres d'investir substantiellement dans les troupes et les équipements et surtout à leur faire partager sa vision stratégique des risques concernant la stabilité et la sécurité internationales, sa prépondérance militaire, pour incontestable qu'elle soit, ne pourra se traduire dans des interventions décisives et définitives à l'échelle de la planète.

Les dépenses militaires des États-Unis totalisent aujourd'hui plus de 50 % de l'investissement mondial dans ce domaine essentiel de la prépondérance, soit plus de 500 milliards de dollars. Selon toutes les projections disponibles, cette « supériorité américaine » se maintiendra dans la moyenne durée. En 2030, les dépenses militaires américaines totaliseraient plus de 800 milliards de dollars. Celles de la Chine, qui occupera alors le second rang, seraient de l'ordre de 240 milliards, comparativement à 60 milliards au début du nouveau millénaire. Ces chiffres sont contestés des deux côtés, la Chine accusant les États-

Unis «de poursuivre les méthodes de la guerre froide» et Washington affirmant que la Chine «dissimule la vraie hauteur de ses engagements militaires[24]». Ce qu'annoncent ces projections, outre le maintien de la prépondérance militaire des États-Unis, est à chercher du côté des alliances de sécurité en Asie et dans le Pacifique, où la Chine voudra vraisemblablement occuper une position aujourd'hui tenue par les États-Unis, sans compter sur sa détermination à se positionner comme puissance spatiale.

L'horizon 2020

Il apparaît sans doute prématuré d'annoncer la fin du *plus important événement géopolitique des temps modernes*, tel que piloté successivement par la Grande-Bretagne et les États-Unis depuis un siècle et demi tant les retombées de leur prépondérance successive et cumulative sont en effet toujours manifestes. Cependant divers scénarios éclairent différemment l'avenir.

Ceux produits par la cellule de prospective de l'Union européenne concluaient, voilà une décennie à peine, au maintien de la supériorité américaine dans la longue durée du XXIe siècle. Ceux développés par les spécialistes chinois tiraient, pour l'essentiel, les mêmes conclusions.

Mais les transferts de puissance et de contrôle cumulés depuis ont fait varier ces projections convergentes. La question de la puissance occupe une place majeure dans les prévisions du futur proche. Il s'agit de la volonté et de la capacité d'un État ou d'un groupe d'États de maîtriser les conditions de la sécurité et de la paix, de proposer, voire d'imposer des systèmes de règles et de normes, de contrôler les institutions internationales ou de les ignorer, d'offrir une constellation de valeurs comme références

---

24. Peter Goodspeed, «China boosts its military budget 17.6%», *National Post,* 5 mars 2008.

fondamentales en vue d'infléchir les équilibres d'ensemble en fonction de leur propre intérêt.

Le nouveau cycle géopolitique ouvert par l'implosion de l'Union soviétique a été dominé sans conteste par les États-Unis d'Amérique, crédités de la capacité et de la volonté de mettre en place un nouvel ordonnancement du monde. Il semblait alors qu'une bonne partie du XXIe siècle serait dominée par une seule puissance, «l'hyperpuissance» selon le mot fameux d'Hubert Védrine. C'est le moins qu'on puisse dire, cette évaluation est aujourd'hui moins assurée. En effet, la position américaine a connu ces dernières années une sorte d'érosion et elle n'a plus le rayonnement, la force d'attraction et l'éclat qui la caractérisaient au tournant du millénaire[25].

L'idée même d'hyperpuissance définie comme la capacité d'un seul pays à ordonnancer le monde appartient à une catégorie improbable, inapte en conséquence à embrasser la diversité constitutive de l'humanité et l'amplitude des médiations qu'appelle «la totalité des choses, des idées et des hommes» selon l'expression de Paul Ricœur. Cette idée, pour vaste qu'elle soit, est vaine face à l'imprévisibilité de l'histoire. Si elle est à l'aise dans son temps court, celui de l'événement, elle est déroutée par son temps long, celui des civilisations et de ses surgissements imprévisibles[26]. La formule emblématique de «la fin de l'histoire» a été ravalée par son concepteur lui-même. Enfin, l'hyperpuissance peut s'aveugler elle-même. Henry Kissinger décrit comme suit l'état d'esprit de l'Amérique au moment où elle dispose de ce statut unique et éphémère:

> À l'apogée de leur pouvoir, les États-Unis se retrouvent dans une position ironique. Confronté aux bouleversements auxquels fait face le monde et qui sont peut-être les plus

---

25. Jean-Louis Roy, *Technologies et géopolitique, op. cit.*, p. 35s.
26. Bronislaw Geremek, *L'histoire et la politique*, Montrichier, Éditions Noir sur Blanc, 1997.

profonds et les plus répandus, le pays n'a pas réussi à élaborer une politique reflétant les réalités émergentes[27].

Au-delà des dommages imposés à l'idée même de l'Amérique et de sa capacité à inspirer la communauté internationale par l'administration Bush, toute une littérature du doute se développe aux États-Unis sur la corrosion intérieure qui mine la confiance, dissout l'optimisme et répand l'inquiétude concernant l'avenir, celui de la grande république et de sa place dans les affaires du monde. Déjà en 1991, le libéral Arthur Schlesinger faisait de la montée du multiculturalisme aux États-Unis la cause majeure de la désunion de l'Amérique et la cause virtuelle de son éventuelle incohérence[28]. Près de 20 ans plus tard, faisant le pont entre ces considérations intérieures, cette phobie de l'invasion du Sud qu'il fait sienne, le conservateur Patrick J. Buchanan plaide pour le désengagement de l'Amérique des affaires du monde[29].

L'analyse porte aujourd'hui sur l'émergence de puissances certes toujours contenues, mais néanmoins susceptibles de marquer de leurs empreintes les évolutions du monde à l'horizon 2020, de puissances capables de démarches mondialistes.

– L'Inde, le Brésil et l'Afrique du Sud se sont constitués en pôles démocratiques du Sud, ont manifesté leur ambition d'accéder au Conseil de sécurité et ainsi de se porter responsables de la sécurité et de la paix. Ils ont formé une

---

27. Henri Kissinger, *Does America Need a Foreign Policy? Toward a Diplomacy for the 21st Century*, New York, Simon & Schuster, 2001, p. 19. «*At the apogee of its power, the United States finds itself in an ironic position. In the face of perhaps the most profound and widespread upheavals the world has ever seen, it has failed to develop concepts relevant to the emerging realities.*»

28. Arthur M. Schlesinger Jr., *La désunion de l'Amérique*, Paris, Nouveaux Horizons, 1993, p. 118.

29. Patrick J. Buchanan, *Day of Reckoning: How Hubris, Ideology, and Greed Are Tearing America Apart*, New York, Thomas Dunne Books/ St. Martin's Press, 2007.

redoutable coalition au sein de l'OMC qui illustre leur avancée économique. Cette coalition démocratique venue du Sud ne doit pas être interprétée comme une simple extension de la conception politique de la démocratie telle que développée en Occident. Elle comporte une exigence d'équité au plan mondial et de développement social au plan national qui ont peu à voir avec la doctrine occidentale.

– L'analyse porte aussi sur les conséquences de la croissance spectaculaire de la Chine, de son poids actuel et à venir dans l'économie mondiale et de sa diplomatie conquérante. Tel est peut-être le thème dominant de la littérature actuelle dédiée à la prospective politique : les effets cumulés des avancées de la Chine sur le système international, les institutions qui l'incarnent, les règles et les normes qui le définissent, comme voulu par les États-Unis et ses alliés depuis la Seconde Guerre mondiale.

– La Chine n'est plus seule en Asie à susciter l'intérêt et la prospective politique. L'Inde, la grande démocratie de tous les anciens royaumes, partage désormais un positionnement comparable à celui de l'ancien Empire du Milieu. Certains prétendent que, dans la moyenne durée, la grande démocratie asiatique s'imposera comme la première puissance du continent avant la Chine.

La fin de l'ère américaine et de la prépondérance occidentale, puis l'émergence d'une ère nouvelle dominée par l'Est sont évoquées, ainsi qu'une éventuelle restructuration du système international en fonction des intérêts stratégiques de ces nouvelles puissances ou d'une vision plus large d'un monde pluriel et multiculturel[30]. La cause est notamment plaidée par de nombreux politologues et penseurs asiatiques cherchant à montrer les conséquences géopolitiques et géoculturelles de l'ultime transfert : celui

---

30. Anwar Ibrahim, *The Asian Renaissance*, Singapore, Times Books International, 1996, p. 137.

du pouvoir mondial de l'Ouest à l'Est. Dans *The New Asian Hemisphere*, Kishore Mahbubani reprend et développe les scénarios déjà énoncés dans son célèbre *Can Asians Think?*, publié en 1999 « afin que les 900 millions de personnes vivant à l'Ouest puissent connaître et apprécier comment les 6,5 milliards de personnes restantes voient le monde[31] ».

Face à de telles éventualités, certains en Occident plaident pour une consolidation du système international actuel et pour une offensive concertée des pays industrialisés afin d'amener la Chine à y trouver son intérêt et à y déployer ses visées. En clair, comme le souhaite le réputé politologue américain G. John Ikenberry, il s'agit d'assurer la survie du système même si le pouvoir américain est en déclin. Enfin, le spectre d'une intense compétition entre les deux puissances, voire les deux blocs, d'une bataille pour l'hégémonie, est aussi évoquée jusqu'à l'affrontement militaire.

De ces multiples hypothèses et analyses contradictoires se dégagent quelques enseignements d'ensemble :

- l'idée d'une transition vers autre chose qui est en train d'advenir et demeure toujours incertain ;
- l'idée aussi que la prépondérance américaine ne dispose plus, avec la même assurance, de toutes les assises indispensables qui ont fondé son remarquable positionnement depuis la Seconde Guerre mondiale ;
- l'idée enfin que d'autres ambitions se déploient et que leurs avancées actuelles apparaissent substantielles, convaincantes et susceptibles de faire l'avenir.

Certains doutent de la résilience des avancées et de la capacité des nouvelles économies à maintenir leur rythme actuel de croissance et de développement. Outre le fait que leurs prédictions successives se sont révélées fausses, les

---

31. Kishore Mahbubani, *The new Asian hemisphere: the irresistible shift of global power to the East*, New York, Public Affairs, 2008, p. 8.

défenseurs de cette thèse ont aussi à dire les conséquences pour tous d'une faillite des évolutions en cours en Chine, en Inde et dans les autres pays émergents. Que leur succès ou leur échec soient également perçus comme des bouleversements mondiaux est également le signe d'une importance nouvelle que ces pays occupent désormais dans les affaires du monde.

À l'idée messianique de la fin de l'histoire, cette vision univoque du destin commun, s'est substituée une galaxie complexe qui inclut l'économie et la déborde. L'histoire, le fait religieux, les systèmes moraux, voire métaphysiques, les fractures sociales à l'échelle planétaire, la fragilité de notre planète et celle de l'atmosphère qui la protège, ont émergé fortement comme composantes du vivre ensemble planétaire et, en conséquence, de l'indispensable délibération commune. Bref, la mondialisation n'a pas produit la fin de l'histoire, elle en a fait apparaître la pluralité, y compris la situation contrastée des uns et des autres par rapport au temps spirituel et éthique, social, scientifique et technologique. La fameuse requête de la réciprocité, cette fois à l'échelle du monde et des civilisations, émerge à nouveau dans la «conversation mondiale». Il y a du Senghor dans cette trajectoire, dans cette remontée vers la lumière de la pluralité des conditions, des intentions et des espérances.

La mondialisation a aussi montré que l'Occident n'est plus seul et ne sera plus jamais seul à puiser, dans son expérience, les catégories susceptibles d'extension à l'échelle de l'humanité. On pense aux questions liées à la laïcité où d'autres modèles, l'indien par exemple, constituent des références précieuses[32]. On pense aussi au binôme droits et devoirs ou à d'autres perspectives, celle par exemple de la doctrine confucéenne, qui sont susceptibles d'enrichir

---

32. Singh, K. Natwar, *The Argument for India*, The Inaugural India Lecture, Brown University, 23 septembre 2005.

notre obligation de vivre ensemble. Raymond Aaron avait raison de dire que « la théorie précède l'histoire, mais que l'histoire déborde toujours la théorie ». Voici venu le temps d'une délibération plus inclusive, plus ardue et plus décisive puisqu'elle englobe tous les héritages et toute l'humanité.

CHAPITRE TROISIÈME

Vers une concurrence culturelle mondiale

Toute démarche mondialiste comporte une visée culturelle. Telle est l'explication pour l'installation des langues, des systèmes politiques et juridiques occidentaux dans de nombreuses régions du monde ; de la langue russe en Asie centrale et en Europe de l'Est. Telle est aussi l'une des explications de la prépondérance de la culture américaine depuis la Seconde Guerre mondiale en Europe, dans un premier temps, et en direction du monde, dans un second temps. Les nouvelles puissances ne font pas exception à cette règle. Elles aussi ont des ambitions pour leur langue et leur culture. Elles aussi croient que des éléments de leur système ont vocation à franchir les frontières, toutes les frontières. Elles aussi ont pris la mesure de la dimension économique de la culture. La mondialisation rend possible et facilite la mise en œuvre de ces ambitions. Son système nerveux technologique ouvre sur le monde, et les diasporas qui ont contribué à l'ascension de leur pays d'origine sont autant de relais prêts à se mobiliser pour faciliter cette projection des cultures dans le nouvel espace culturel mondial.

Une nouvelle concurrence linguistique et culturelle se dessine, vigoureuse et abondante. Dans ce domaine aussi, les États-Unis qui ont occupé une part considérable de l'espace culturel international depuis la Seconde Guerre mondiale sans grande compétition devront en prendre acte. La Chine, l'Inde, la Russie et d'autres puissances s'ajoutent aux communautés culturelles et linguistiques existantes, dont la Francophonie, et affichent des desseins culturels rendus possibles par la mondialisation.

Le système culturel américain

Prépondérance ou impérialisme, le positionnement américain dans le domaine a été ressenti, critiqué et réprouvé. Il a donné lieu à d'innombrables analyses et condamnations en Asie, en Europe et ailleurs dans le monde. Rares cependant sont les analyses exhaustives du système culturel américain en lui-même et des motifs de son rayonnement dans le monde. Au moment où se manifeste une concurrence linguistique et culturelle de grande portée, il importe de comprendre ce système, les valeurs qui le fondent, les moteurs de sa réussite et les intérêts qu'il sert. Peut-être pourrions-nous y déceler quelques ingrédients pour nos propres projets et pour la part d'universalité qu'il recèle.

Éloigné des préjugés et des discours critiques récurrents, l'ouvrage récent de l'ancien attaché culturel de France aux États-Unis, Frédéric Martel, pousse loin l'exploration de ce système dont « on ne connaît presque rien en Europe[1] ».

De la culture en Amérique est une œuvre considérable et essentielle. Elle permet notamment de mieux connaître et de mieux mesurer l'implication considérable de la puissance publique américaine dans le soutien à la culture, considérée comme un domaine majeur de l'économie.

Avec intelligence et précision, l'auteur étudie le grand débat prévalant en Amérique depuis un demi-siècle sur la place de la culture dans la vie de la nation, sa fonction sociale et son poids dans l'économie, le domaine comptant

---

1. Frédéric Martel, *De la culture en Amérique*, Paris, Gallimard, 2006, p. 15.

plus de deux millions d'emplois. Il examine les contradictions que ce débat révèle et cherche à concilier : culture élitiste ou culture de masse, culture savante ou culture populaire, culture européocentriste ou faisant sa place au multiculturalisme, culture marchande ou dégagée de cette préoccupation.

Ce débat porte aussi sur le rôle des pouvoirs publics dans le système culturel américain et les contradictions qu'il fait apparaître. D'un côté, l'affirmation constante de la pleine autonomie du domaine comme expression de la liberté humaine et, en conséquence, le danger d'une intrusion étatique en matière culturelle ; de l'autre, la création par l'État fédéral, par l'ensemble des États fédérés et par la quasi-totalité des grandes villes, d'institutions et d'agences publiques en appui à la culture, instaurant ainsi « un véritable maillage de tout le territoire[2] ». Aussi, la mise en place d'une fiscalité indirecte favorable et de grande portée et enfin, la recherche de synergie entre ces multiples instruments de la puissance publique à tous les niveaux. Ainsi, depuis les années 1970, « on est passé de 2 agences culturelles d'État à plus de 50 et de 175 à 900 agences artistiques dans les villes[3] ». L'ancien conseiller culturel français affirme que les Américains « subventionnent autant que les Européens leur culture[4] ».

L'effet net de cette politique publique est résumé comme suit par Martel :

> Les centaines d'agences artistiques publiques, dans tous les États américains et toutes les villes, financent la culture de qualité, les films exigeants plutôt que les productions grand public, le théâtre littéraire plutôt que le théâtre commercial, les comédiens plutôt que les acteurs, et tout ce qu'on préfère appeler, aux États-Unis, les arts plutôt que la culture[5].

2. *Ibid.*, p. 157.
3. *Ibid.*, p. 183.
4. *Ibid.*, p. 550.
5. *Ibid.*, p. 10.

À ces ressources publiques s'ajoutent celles, considérables, d'une constellation d'institutions privées : fondations, corporations, universités disposant de fonds propres considérables et bénéficiant d'une fiscalité favorable concernant leurs investissements dans le domaine culturel. Entre les ressources des deux secteurs, le privé et le public, des attaches systématiques, dont notamment les fonds de contrepartie, assurent de vraies convergences dans le financement de la culture. Martel évoque « une immense coalition d'entreprises privées, d'agences publiques, d'institutions à but non lucratif, de riches philanthropes, d'universités et de communautés, tous autonomes qui finissent par faire politique[6] ».

Ce débat implique aussi une société civile vibrante, de grandes organisations dans les divers domaines de la production artistique ; fédérations professionnelles, syndicats puissants y compris la Fédération américaine du travail et le Congrès des organisations industrielles (FAT-COI), regroupements par domaine, médias spécialisés et intérêts de la presse influente du pays. Le *New York Times*, pour ne citer que cet exemple, compte sur la contribution de 80 journalistes pour sa couverture culturelle. Face aux élus à tous niveaux, la mobilisation convergente de ce rassemblement hétéroclite a un poids considérable. Dans son évolution, le système culturel américain dépend en partie des défenseurs de sa plus stricte autonomie et de leurs requêtes permanentes exigeant l'implication de la puissance publique.

Cet ensemble de positions et de contradictions défie les cartésiens de toutes obédiences qui cherchent à décrypter les multiples visages du géant culturel américain, ses multiples visages et ses étonnantes discordances. Ce pays exporte, dit-on, l'uniformité culturelle, mais il pratique la diversité culturelle. Martel ferme son prologue en

---

6. *Ibid.*, p. 14.

évoquant les milliers d'acteurs autonomes et autant de minuscules politiques indépendantes. « De sorte que si le ministère de la culture n'est nulle part, la vie culturelle est partout[7] » ; l'ultime paradoxe.

Comment expliquer le rayonnement de ce système et ce que certains définissent exagérément comme son extension mondiale entraînant l'américanisation de la culture mondiale ?

— D'abord la nature du système lui-même, son déploiement à tous niveaux, ses passerelles entre l'art savant et la culture populaire, l'attachement au pluralisme, la revendication de son héritage multiculturel, la place occupée par l'avant-garde, la contre-culture, les arts numériques, les arts visuels, les « sous-cultures communautaires », les positions classiques et les réactions rebelles par rapport aux conformismes de toutes natures.

— La jonction forte entre économie et culture. « Défendre les arts, affirmait le président Kennedy, revient à dynamiser l'économie[8]. » Cette conviction est largement partagée dans la grande république. D'où la hauteur des appuis apportés au domaine et le soutien aux entreprises privées du secteur, y compris les multinationales dédiées aux communications, au show business, à l'édition et autres secteurs spécialisés.

On aurait tort cependant de penser que le système culturel américain est complètement dominé par l'économie de marché. Si la culture marchande apparaît dominante, elle cohabite cependant avec une myriade d'initiatives expérimentales et de recherches en dehors de toute perspective de rentabilité, sinon virtuelle. Un haut fonctionnaire américain a résumé cette position dans une formule définitive : « Si vous mettez en place un système

---

7. *Ibid.*, p. 17.
8. *Ibid.*, p. 47.

(culturel) où le marché ne joue pas de rôle dans les arts, cela engendre une sorte de stagnation institutionnelle, si vous confiez entièrement les arts au marché, vous constatez qu'ils sont en grand danger[9].»

– Enfin, la proximité, voire l'intimité unique avec les producteurs de nouvelles technologies, dont les applications et les innovations visent directement de nombreux champs de la culture.

– Les dividendes découlant de la production dans la *lingua franca* du temps. Durant une assez longue période, arrivée à son terme récemment, les médias américains jouissaient d'une quasi-exclusivité sur la scène internationale et, en conséquence, d'une influence unique. Ce qu'ils décidaient de privilégier comme créations ou événements culturels à l'échelle planétaire produisait, selon les mots de Martel un *«buzz mondial»*. Ces œuvres littéraires ou cinématographiques, ces premières au théâtre ou ces musiques populaires et leurs créateurs, ces rassemblements festifs et autres rendez-vous médiatisés «font immédiatement débat dans le monde». D'autres événements culturels, provenant de l'Inde, de la Corée du Sud – et demain de la Chine – produisent désormais des créations et des événements qui ont commencé à retenir l'attention dans le monde.

– La connexion entre la culture et la politique internationale des États-Unis. Au lendemain de la Seconde Guerre mondiale, le plan Marshall qui devait si puissamment contribuer à la reconstruction et à l'intégration européenne était assorti d'exigences concernant la libre circulation des biens culturels. Dans la longue période de la guerre froide, l'Amérique développa une offre culturelle internationale d'envergure comme contrepoids, affirmait-on alors, à l'offensive intellectuelle et culturelle de l'Union soviétique.

---

9. *Ibid.*, p. 221.

Depuis, dans ses négociations commerciales visant l'établissement d'accords de libre-échange, Washington n'oublie jamais le secteur culturel, dont la contribution à la dynamisation de l'économie est, à son point de vue, une évidence. Bref, le système culturel américain a toujours bénéficié d'un soutien ferme du gouvernement de la grande république comme partie constituante de sa démarche mondialiste.

Ce système demeure puissant même si certaines de ses composantes sont apparemment affaiblies : sa place dans le dispositif américain d'ensemble toujours assurée et son déploiement international toujours indiscutable. Son lien constitutif à la recherche, à l'innovation, aux nouvelles technologies et son aisance dans la culture visuelle le maintiennent dans une espèce de prépondérance qui n'est pas près de se dissoudre.

La nouvelle concurrence

La mondialisation transforme graduellement et sûrement le vaste domaine de la culture. Il se pourrait que, dans les prochaines décennies, le système culturel américain ne soit plus un système sans concurrence mais un système forcé de défendre ses acquis considérables par rapport à d'autres systèmes eux aussi désireux d'occuper l'espace culturel mondial. Si bataille il y a, elle se fera sur le terrain des contenus, de la production, de la numérisation, de la capacité à capter et à retenir les imaginaires, à conjuguer le local et le mondial, à ne jamais cesser d'être soi-même et, dans un même élan, à changer sans cesse.

Certains pays ont la taille requise pour jouer cette concurrence, investir en conséquence et en tirer des bénéfices politiques et économiques certains. D'autres devront conforter ou édifier de véritables alliances et, ce faisant, conjuguer leurs ressources humaines, financières et technologiques, leurs marchés nationaux aussi, pour espérer occuper une place dans cet espace désormais convoité. Certes, la résilience des cultures est incontestable. Mais, isolées, elles seraient alors privées des stimuli et des ressources que procurent la taille des investissements, le besoin d'expérimentation, l'appropriation des technologies utiles, la dimension et la diversité de la création et les retombées de la concurrence. Tels sont quelques-uns des enseignements que l'expérience américaine nous apporte. Dans le monde tel qu'il est, elles perdraient, à terme, leur influence sur leur propre territoire et devraient renoncer à tout rayonnement, laissant à d'autres le soin d'occuper l'espace culturel mondial.

La mondialisation a accéléré et finalisé la libéralisation des limitations territoriales des cultures en ouvrant l'espace mondial à l'ensemble des cultures du monde. Jamais dans l'histoire moderne, la dimension culturelle des sociétés n'a bénéficié d'une telle disposition. Cette dernière est enrichie aussi par une volonté politique inédite et largement partagée de reconnaître et de profiter de cette situation sans précédent. L'appui de la quasi-totalité des pays du monde à la Convention sur la protection et la promotion de la diversité des expressions culturelles, adoptée en octobre 2005 à l'UNESCO[10], en constitue une preuve indéniable. La résolution sur le multilinguisme adoptée par l'Assemblée générale des Nations Unies en juin 2007 et la proclamation de l'année 2008 comme année internationale des langues vont dans le même sens.

La mondialisation a aussi fait émerger un nouveau positionnement des cultures considérées désormais comme matière de l'économie, matériau des technologies et facteur de croissance et de développement, bref comme grand domaine structurant de l'activité productrice. Ces catégories ne sont certes pas nouvelles. Elles ont été retenues

---

10. Organisation des Nations Unies pour l'éducation, la science et la culture.

depuis longtemps par un certain nombre de pays occidentaux, avec des succès variables. Leur déploiement par les
nouvelles puissances constitue une première dans l'espace
culturel mondial désormais marqué par un achalandage
croissant et une compétition dont les conséquences, dans
la longue durée, n'en demeurent pas moins imprévisibles.

Ces positionnements sont rendus possibles grâce aux
technologies de l'information et des communications, à la
nature décentralisée et aisée de leur utilisation, à leur
dissémination sur l'ensemble de la planète et à leur capacité de rejoindre dans les langues du monde ceux qui les
parlent où qu'ils soient, sur le territoire national ou aux
antipodes.

Passée la période d'euphorie qui a immédiatement suivi
l'implosion de l'Union soviétique et consacré la spectaculaire installation de l'économie de marché à l'échelle de
la planète, des résistances à la mondialisation ont émergé,
et ce, de façon de plus en plus accentuée. Certes, ces
résistances n'ont pas empêché la progression de la mondialisation. Elles ont cependant rappelé avec force d'autres
dimensions, immatérielles celles-là, de l'humanité :

- l'histoire et son cortège de contentieux ;
- les religions et la laïcité, leur rencontre dans l'espace
  mondialisé, la distance qui les sépare au sujet d'un grand
  nombre de questions éthiques et des contenus de ce que
  certains appellent la modernité ;
- les cultures, hier encore garantes des filiations et de la
  cohésion sociale des groupes humains, soudain confron-
  tées à des flux incontrôlables d'intrants reflétant d'autres
  visions et d'autres valeurs ;
- le refus des peuples marginalisés, tels les peuples autoch-
  tones, de sombrer dans l'oubli, le folklore et l'hagiographie ;
- les revendications des laissés-pour-compte et les victimes
  du développement, lesquels sont à la fois saisis par la croissance spectaculaire du bien-être pour un grand nombre
  qu'étalent les médias et leur propre situation dégradée et
  désespérée qu'ils constatent chaque jour ;

- le drame des sociétés engouffrées dans des conflits ethni-
ques, lesquelles sont dominées par des pouvoirs autoritaires,
aux prises avec des factions armées et leurs cortèges de
victimes : enfants soldats, femmes esclaves sexuelles et
femmes violées, déplacés par millions, et autres blessés
psychologiques et physiques ;
- le recours au terrorisme sous toutes ses formes. Certes,
le phénomène n'est pas nouveau. Cependant, ses formes
actuelles, et notamment l'utilisation de jeunes hommes et
femmes comme agents de leur propre destruction, constituent une forme absolument dégradée de la domination.

Dominante ces deux dernières décennies, l'idée que les
règles et les normes du libéralisme économique sont susceptibles à elles seules de contenir l'ensemble des situations de la communauté internationale est soumise à rude
épreuve par cette liste incomplète. D'autres médiations sont
requises pour éviter les périls qui menaceraient une communauté internationale livrée aux seules forces du marché,
une communauté internationale sans communion.

La mondialisation a exacerbé certaines revendications
enracinées dans le passé, elle a aussi fait émerger des
suspicions et des craintes concernant l'avenir. Dans son
vaste bagage, elle nourrit aussi certaines espérances. En
éclairant l'espace mondial et en le libérant des filtres qui
en dissimulaient la complexité, elle contribue à montrer
la diversité de la famille humaine et la pluralité des expressions culturelles qui lui sont intrinsèques.

Les nouvelles démarches mondialistes

La recomposition de l'espace culturel mondial déborde la
seule affirmation politique et juridique telle qu'arrêtée
dans la Convention de l'UNESCO. Elle se déploie dans des
politiques nouvelles de grande portée et à visée mondiale,
dans des initiatives majeures qui, à terme, sont susceptibles de faire varier en substance l'offre culturelle dans le
monde.

Aux communautés décrites précédemment rassemblant les anglophones, les hispanophones, les lusophones, les arabophones, les turcophones et les francophones s'ajoutent désormais d'autres rassemblements d'importance. On pense à l'organisation de très nombreuses diasporas, perçues désormais comme des prolongements du fait national dans le monde, des relais susceptibles de conforter l'usage de la langue et le rayonnement culturel des pays d'origine.

Le terme diaspora nous vient des Grecs qui le définissaient comme «la dispersion des semences». L'existence des diasporas est aussi ancienne que l'humanité elle-même. Mais la mobilité qui la crée est sans précédent dans l'histoire, ainsi que le va-et-vient continu des idées, de l'information, des personnes, des créations, des aspirations, bref, de tous les biens immatériels et matériels. Grâce à la téléphonie, à Internet, aux DVD, aux disques compacts et autres supports technologiques, le pays d'origine vit quotidiennement et intensément dans les esprits de ceux qui l'ont quitté sans jamais s'en séparer définitivement. Hobsbawm évoque le retour aux cultures d'origine des personnes de la troisième génération d'immigrants, une réaction de retour aux racines[11]. Ces phénomènes constituent autant de terreaux fertiles pour les politiques d'appui aux diasporas de la part des pays d'origine.

Sans précédent, leurs offensives laissent apparaître de nouvelles démarches mondialistes encore retenues ou insuffisamment définies. Au premier niveau d'observation et d'analyse, elles semblent conforter la philosophie et la politique de diversité des expressions culturelles soutenue vigoureusement par la Francophonie, mais elles ne sont pas sans poser de formidables défis à cette dernière. Dans cet espace désormais achalandé, comment occuper une place significative culturellement et linguistiquement ?

---

11. Eric J. Hobsbawm, *op. cit.*, p. 134s.

Comment contribuer à ce nouvel aménagement et exercer son influence ?

Cette recomposition de l'espace culturel mondial a été remarquablement définie par Amitav Ghosh.

> Je me rends compte que la chose la plus intéressante de l'indianité est justement que l'Inde ne tient pas tout entière en une même place. Et cela est crucial ! C'est même, je crois, la voie du futur pour bien des civilisations : l'Inde, la Chine, l'Angleterre, la France. L'État-nation remplacé par de vastes essaims diasporiques[12].

La famille indienne mondiale

Dans son édition du 19 janvier 2008, *Le Monde* titrait : « La diaspora indienne : une réussite qui fait rêver ».

Cette réussite découle d'une vigoureuse politique de New Delhi concernant « la famille mondiale indienne » répartie en 136 pays et notamment en Asie du Sud, en Afrique de l'Est et du Sud, en Amérique du Nord et dans les îles Britanniques. En croissance continue, cette famille mondiale indienne compte entre 25 et 30 millions de personnes. Elle en comptera de 50 à 60 millions en 2025.

C'est au tournant du présent millénaire que cette politique a été arrêtée et mise en œuvre à la suite d'une vaste consultation conduite dans plus de 20 pays par la Haute Commission de la diaspora indienne. Avec célérité, les gouvernements indiens successifs ont donné des suites aux principales recommandations de la Haute Commission. Des institutions sont créées pour renforcer les liens culturels entre le pays d'origine et les membres de la diaspora et pour soutenir la diffusion de la production culturelle indienne dans le monde, pour faciliter l'investissement, contribuer à la protection des minorités d'origine indienne, bref, pour faire des membres de « la famille mondiale

---

12. Amitav Ghosh, « La question de la diaspora est fascinante », *op. cit.*

indienne» vivant ailleurs des témoins et des alliés de la grande démocratie asiatique. Si le discours est convaincant, les choix politiques qui en découlent le sont tout autant.

– La citoyenneté indienne a été rendue accessible pour les expatriés, à la suite d'un amendement à la loi sur la citoyenneté.

– Des institutions importantes ont été mises en place : Haut conseil de la diaspora indienne, Secrétariat spécialisé au sein du ministère des Affaires étrangères installé en 2002 et remplacé, deux ans plus tard, par un ministère chargé des Affaires indiennes d'outre-mer.

– Une journée nationale annuelle de la diaspora, la Pravasi Bharatiya Divas, a été instituée pour rassembler Indiens du pays et Indiens de la diaspora autour des objectifs précédemment énoncés.

Cette politique prend en compte la dimension économique du lien avec la diaspora qualifiée de «manne pour l'Inde[13]» et considérée comme un moteur direct et puissant de la croissance économique du pays. On évalue à plus de 26 milliards de dollars, soit 3 % du PNB, les transferts d'argent de la diaspora vers le pays d'origine et ses investissements représentent 10 % des investissements directs étrangers reçus par l'Inde, sans compter les vastes transferts scientifiques et technologiques qu'elle a assurés ces deux dernières décennies. Cette architecture économique est solidement appuyée par les multinationales indiennes, ces nouveaux magnats qui, à l'aise dans l'économie mondialisée, hissent le secteur manufacturier et celui des services de leur pays au sommet de l'élite internationale. Ainsi, les groupes Kaliany, Aditya Birla, Tata,

---

13. Éric Le Boucher, «Le décollage de l'"Inde brillante"», *Le Monde*, 18 février 2006.

Suzlon Energy, Ranbaxy, Mahindra, Mittal, Reliance Industries, Wipro, Dalmia et d'autres font circuler capitaux, ressources humaines et savoirs technologiques de l'Inde vers le monde et du monde vers l'Inde. Ce mouvement été qualifié « d'envers de la colonisation[14] ».

La place croissante de la production culturelle indienne dans le monde et son rayonnement ne constituent pas des phénomènes entièrement nouveaux, bien au contraire. La renommée cinéaste indienne récipiendaire d'un Lion d'Or à Venise pour son film *Monsoon Weeding*, Mira Nair, résume le sentiment d'un grand nombre de créateurs de son pays quand elle pose la question suivante : « Pourquoi donc l'irruption de l'Inde se produirait-elle uniquement à partir du moment où l'Ouest l'affirme ? Après tout, nos films ont nourri la moitié du monde depuis un siècle...[15] » C'est leur pénétration dans l'autre moitié du monde qui constitue un phénomène nouveau, « le cinéma indien étant appelé à jouer un rôle plus grand dans le marché mondial du film[16] ». La présentation simultanée à Calcutta et à New York, en première, du dernier film de la cinéaste, *The Namesake*, illustre parfaitement cette évolution.

L'industrie cinématographique indienne produit plus de 200 films chaque année et 4 milliards de personnes achètent des billets pour voir ces films dans toute l'Asie du Sud et du Sud-Est, sur le continent africain, au Proche et au Moyen-Orient et de plus en plus en Occident. En 2007, le public britannique a désigné un acteur indien comme acteur de l'année et, fait sans précédent, la biographie de Shah Rukh Khan, la vedette de l'heure à Bollywood,

---

14. India Faces the World: Special Global Forum Issue, *Fortune*, 29 octobre 2007.

15. Mira Nair, « Hooray for Bollywood : With Americans embracing our culture, can Indians like me keep it real ? », *Time*, 3 juillet 2006, p. 60. « *But why is it that India arrives only when the West says it does? Our movies have nourished half the world for a century...* »

16. Charles Taylor, « Star of India », *New York Times*, 7 octobre 2007, Arts, p. 32.

est publiée par la division des publications des studios Warner aux États-Unis[17].

À la suite d'une modification à la loi sur le développement industriel en 2001, l'industrie cinématographique indienne a accès pour la première fois de son histoire à des prêts bancaires et à des investissements du secteur financier. Ce changement de statut a permis à ses principaux studios de répondre favorablement aux pressantes requêtes d'association en provenance des grands producteurs américains suivants : Disney, Viacom, New Corporation et Sony Pictures. Les produits de ces nouveaux conglomérats cinématographiques accéléreront vraisemblablement la conquête des marchés occidentaux par le cinéma indien, désormais capable d'investir des dizaines de millions de dollars dans la production d'un film et capable aussi de mettre en vedette des acteurs indiens et américains dans un même film. Ainsi, la cinéaste Mira Nair a mis à l'affiche de son prochain film, *Shantaram*, Johnny Depp et Amitabh Bachchan, la plus grande vedette féminine du cinéma indien. Ce métissage répond à deux tendances parallèles présentes dans l'Inde actuelle, une conception nostalgique de l'hindouisme et une fascination éprouvée par un nombre croissant d'Indiens envers les sociétés occidentales ou asiatiques développées[18]. Enfin, la disponibilité de ces nouvelles ressources financières a permis des investissements conséquents pour la conquête de nouveaux marchés, la distribution de DVD à l'échelle planétaire et l'utilisation systématique d'Internet, investissements qui ont déjà considérablement enrichi les auditoires, et notamment aux États-Unis.

Enfin, comme évoqué précédemment, la dimension de la production culturelle indienne et du sous-continent est

---

17. Anupama Chopra, *King of Bollywood, Shah Rukh Khan and the seductive World of Indian Cinema*, Warner Books, 2007.

18. Jackie Assayag, *La mondialisation vue d'ailleurs. L'Inde désorientée*, Paris, Le Seuil, 2005.

en croissance continue et ses succès sont incontestables, dans le monde anglo-saxon et plus largement à l'échelle mondiale. On a estimé à plus du tiers la part du marché britannique occupée par la musique de l'Asie du Sud et notamment le bhangra qui provient du Punjab. Concernant la littérature, elle occupe une place dominante sur le marché mondial grâce aux signatures d'un grand nombre d'auteurs anglophones d'origine sud-asiatique, Vikram Chandra, Amitav Gosh, Jhumpa Lahiri, Arundhati Roy, Salman Rushdie, V.S. Naipaul, Rohinton Mistry, Bharati Mukherjee, Monica Ali et tant d'autres. Ces derniers ont accompli trois tâches considérables : placer au cœur de la réflexion humaine ce que Shiam Selvadurai nomme « l'espace entre l'identité d'origine et l'origine de l'identité acquise[19] », changer l'image de l'Inde et du sous-continent et enrichir le thésaurus de la littérature contemporaine en langue anglaise.

La politique indienne de rassemblement de sa diaspora appartient à une visée plus large. En effet, l'ambition internationale de l'Inde n'est pas qu'économique et culturelle[20]. Elle dispose d'un message plus vaste encore en direction de la communauté internationale, un message qui se nourrit de l'expérience spécifique de ce qui fut une « anarchie fonctionnelle » et qui est devenu la plus grande démocratie du monde :

- pluralisme politique, État de droit, respect des droits humains et mécanisme capable de recueillir le consentement de plus de 700 millions d'hommes et de femmes dans un pays qui compte plus d'un milliard de citoyens ;
- conception de la laïcité qui, contrairement à l'Occident et sa fameuse thèse de la séparation de l'Église et de l'État, inclut toutes les religions dans un égal respect et une égale

19. Shiam Selvadurai, *Story-Wallah! A Celebration of South Asian Fiction*, Toronto, Thomas Allen Publishers, 2004.
20. K. Natwar Singh, *The Argument for India*, The Inaugural India Lecture, Brown University, 23 septembre 2005.

bienveillance de la part de l'État à l'endroit de chacune
d'elle;
– conception de la diversité comme facteur d'unité et non
comme source et danger de désintégration.

Ces pratiques nationales pourraient se répercuter dans
la communauté internationale dans un temps où les cultures nationales ont vocation à se féconder les unes les autres
et à produire ainsi des valeurs partagées.

L'offensive chinoise

Que la diaspora chinoise ait joué un rôle capital dans la
mise en place et la mise en œuvre de la politique d'ouverture lancée dans l'histoire par Deng Xiaoping en 1980
constitue une donnée historique incontestable.

> Aujourd'hui, affirme Pierre Picquart, les Chinois d'outre-
> mer forment la diaspora la plus importante et la plus riche
> du monde. [Cette dernière] est à l'origine de l'ouverture et
> de l'essor économiques de la Chine du fait de ses investisse-
> ments, de ses filières géodialectales et de ses pratiques com-
> munautaires. [...] Avec un poids culturel, économique et
> financier sans précédent dans le monde et surtout en Asie
> du Sud-Est, cet ensemble à taille de géant modifie d'ores et
> déjà les enjeux internationaux et il forme un nouvel équilibre
> multipolaire[21].

À la vérité, cette intervention de la diaspora chinoise
n'est pas sans précédent, comme le prouvent les diverses
tentatives des Chinois de l'extérieur pour moderniser leur
pays depuis le milieu du XIXe siècle jusqu'à l'installation
de Mao à Beijing. Cette fois, les intérêts de la diaspora et
ceux des autorités chinoises convergeaient. Tel est le cas
aussi concernant le déploiement de la politique de la République populaire de Chine à l'endroit de sa diaspora et des

---

21. Pierre Picquart, *L'Empire chinois. Mieux comprendre le futur
numéro 1 mondial: histoire et actualité de la diaspora chinoise*, Lausanne,
Favre, 2004, p. 13s.

sinophiles du monde en soutien à la promotion de la langue et de la culture chinoises. Récente, ciblée et puissante, cette politique vise l'ensemble de la planète. Elle repose sur un certain nombre de paramètres répétés comme un mantra :

Le multiculturalisme est constitutif de la famille humaine et sa reconnaissance l'une des conditions de l'harmonie recherchée à l'échelle de la communauté internationale.

Le mandarin est la première langue du monde en raison du nombre de ses locuteurs en Chine même. Mais son utilisation courante déborde les frontières nationales chinoises. Elle est aussi la première langue de l'Asie en raison de son statut et/ou de son enseignement dès le niveau primaire à Taiwan, à Singapour, en Malaisie, en Indonésie, à Brunei, aux Philippines, en Mongolie, en Thaïlande et en Corée du Sud. Selon Picquart, les communautés chinoises « représentent près de 70 % du capital privé indonésien, 90 % de l'investissement industriel thaïlandais, 75 % du segment des ventes aux Philippines avec une capitalisation boursière de première importance qui varie de 60 % à 90 % selon les pays : en Malaisie, en Indonésie, en Thaïlande, à Singapour...[22] ». Cette présence de la langue chinoise s'impose en dehors de ce cercle historique. Ainsi, longtemps tournée vers l'Europe, l'Australie est désormais aimantée par l'Asie et la langue chinoise y est devenue la deuxième langue du pays[23]. Enfin, elle est sans conteste l'une des langues bénéficiant des relais les plus significatifs sur tous les continents où se déploie la première diaspora du monde.

Picquart a dressé, continent par continent, l'inventaire de cette présence actuelle en expansion. On estime qu'elle atteindra 35 millions de personnes pour les seuls États-Unis au milieu du présent siècle. Il évoque « une tribu

---

22. *Ibid.*, p. 94.
23. Yves-Michel Riols, « L'Australie conjugue son avenir en chinois », *L'Expansion*, octobre 2007, p. 37s.

globale» soudée par une «identité commune sans territoire» formant avec la Chine un nouvel empire présent
sur tous les continents[24].

La reconnaissance de la langue chinoise constitue une
composante majeure de la reconnaissance de la Chine
elle-même. Si la maîtrise de la langue anglaise constituait
un levier important du développement et de la croissance
au XXe siècle, on estime à Beijing que la maîtrise de la
langue chinoise au XXIe siècle pourrait produire les mêmes
effets. Elle est déjà la première langue parlée au monde et
elle est largement répandue dans toute l'Asie, qui domi-
nera l'économie, la finance et le commerce au XXIe siècle
et qui occupera le tout premier rang dans la recherche et
le développement. La Chine est le premier pays au monde
par la population d'internautes, dont le nombre excède les
225 millions, ce qui représente une augmentation de près
de 25 % par rapport à 2005. Ce positionnement annonce
un usage considérable de la langue chinoise sur Internet
au XXIe siècle. De plus, elle gagne du terrain comme
langue de négociation, les partenaires chinois s'attendant
à ce que leurs vis-à-vis actuels ou potentiels s'adressent à
eux dans leur langue. Enfin, elle sera demain un atout
majeur dans plusieurs secteurs de l'économie internationale, par exemple le secteur du tourisme. Selon l'Union
européenne, 200 millions de touristes chinois visiteront
l'Ancien Continent dans les 10 prochaines années[25]. Bref,
selon plusieurs observateurs et spécialistes américains, la
langue chinoise est devenue stratégique comme peu d'autres
langues le sont. Inaugurant un programme d'enseignement
de la langue chinoise dans sa ville, le maire de Chicago
déclarait: «Je crois qu'il y aura deux langues mondiales,
la langue chinoise et la langue anglaise[26].»

---

24. Pierre Picquart, *op. cit.*, p. 14.
25. *Ibid.*, p. 39.
26. Gretchen Ruethling, «Classes in Chinese Grow as the Language
Rides a Wave of Popularity», *New York Times*, 15 octobre 2005.

La Chine fait reposer sa politique sur ces données « objectives », en réponse aussi à ce qu'elle perçoit comme une demande mondiale pour la langue et la culture chinoises.

Cette politique nationale bénéficie des ressources conjuguées d'un vaste conglomérat d'intervenants : ministères du gouvernement central dont ceux des Finances, de l'Éducation, de la Culture, du Commerce et des Affaires étrangères, gouvernements provinciaux, universités, dont certaines spécialisées telle l'Université de la langue et de la culture de Beijing, créée en l'an 2000. Le China National Office for teaching Chinese as a second language (Hanban) fédère ces contributions et est chargé d'apporter une réponse « à la fièvre pour l'apprentissage de la langue chinoise » qui s'est répandue dans le monde, en raison aussi de l'importance majeure que le gouvernement chinois attache à la promotion de la langue et de la culture chinoises.

À cette fin, elle dispose de nombreux et puissants outils d'interventions :

- organes de supervision, dont le Conseil international pour la langue chinoise ;
- conférences internationales annuelles, dont notamment la *World Chinese Language Conference* et l'*International Conference on Confucianism* qui témoignent, selon le *China Daily*, d'un « boum sinologique[27] » à travers le monde ;
- programmes internationaux de soutien à l'enseignement de la langue chinoise, bourses d'études, fonds complémentaires de liaison, financement pour la recherche, mobilisation de volontaires, stage pour la formation des maîtres ;
- puissants réseaux d'enseignement à distance à travers le pays destiné à des clientèles internationales, méthode d'apprentissage de la langue sur Internet et sur la grande chaîne télévisuelle internationale et multilingue, CCTV. Comme ses consœurs diffusant dans d'autres langues, la chaîne chinoise en langue française compte un important module d'enseignement de la langue chinoise.

---

27. « The Sinology boom », *China Daily*, 29 mars 2007, p. 10.

Impressionnant, cet ensemble d'outils d'intervention est mis à la disposition des multiples associations de la diaspora, des 2 500 universités et des centres de recherche qui, dans 100 pays, disposent de programmes pour l'apprentissage de la langue chinoise. Ces acquis sont considérables. Ils sont présentement enrichis par la création du réseau mondial des centres Confucius. À terme, ce réseau constituera l'armature de la politique chinoise pour la promotion de sa langue principale et de sa culture et l'outil mis au service d'une ambition affirmée : faire de la langue chinoise la première langue du monde[28].

Inauguré en 2004, le réseau des centres Confucius compte aujourd'hui 145 unités réparties dans 50 pays. Si le plan arrêté se déploie comme prévu, ce sont 1 000 centres Confucius qui quadrilleront la planète en 2020. Alors, le nombre d'étudiants hors Chine de la langue chinoise devrait passer de 40 à 100 millions à travers le monde. À cette fin, la Chine dispose d'un bassin quasi illimité de professeurs et de volontaires déjà à l'œuvre sur tous les continents ou disponibles pour s'y installer. L'objectif de cette vaste opération est connu : « Que la langue du monde soit le chinois » titrait le *China Daily* en mars 2007.

> Contrairement aux langues anglaise, française, arabe, portugaise, espagnole et aux autres langues européennes, qui ont été répandues de par le monde par les missionnaires, les flux de marchandises et les puissances coloniales, le chinois se répand aujourd'hui dans le monde entier, librement étudié par des non-locuteurs[29].

---

28. Richard Erard, « The Mandarin Offensive », *Wired*, avril 2006.
29. Idowu Ola, « Let world's language be Chinese », *China Daily*, 30 mars 2007 : « *Unlike English, French, Arabic, Portuguese, Spanish and other European languages which were spread across the globe by missionaries, merchandise and colonial powers, Chinese is now spreading worldwide, freely studied by non-speakers.* »

La mise en place du réseau des centres Confucius constitue une opération gigantesque ; on l'a qualifiée d'équivalent linguistique de l'envoi d'un homme sur la Lune[30].

Installés généralement dans des institutions d'enseignement supérieur à rayonnement national ou régional, les
centres Confucius ont d'abord pour mission le développement d'une plate-forme diversifiée où se conjuguent les
ressources des technologies d'enseignement à distance et
des campus virtuels et celles des méthodes plus tradition-
nelles pour développer l'enseignement de la langue chinoise
et, en priorité, assurer la formation des maîtres.

Une mission complémentaire leur est aussi confiée :
combler le « déficit culturel » dont souffre la Chine dans
le monde par l'organisation de conférences et de sympo-
siums, la tenue d'expositions, la multiplication d'ateliers
consacrés à la connaissance des pratiques culturelles
chinoises tels les arts martiaux, la médecine et la pharmacologie chinoises, la calligraphie et autres formes de production culturelle ancienne et actuelle. À cette fin, la
Chine déploie les moyens considérables déjà évoqués et
offre des ressources adaptées : jeux informatiques, vidéos,
collections d'ouvrages.

La Chine a d'autres ambitions que d'être la plus gigantesque usine du monde. Elle est en train de devenir l'un
de ses premiers laboratoires et, en complément d'une
diplomatie conquérante, elle met sans doute en place l'une
des plus vastes entreprises géoculturelles du début de ce
millénaire. Le professeur Yao Ying de l'Université Fudan
de Shanghai a résumé comme suit la trame souhaitée :

> On s'attend [des centres Confucius qu'ils] augmentent
> l'apprentissage du chinois, sous l'impulsion principale que
> sont les intérêts pragmatiques de chacun, pour qu'il devienne
> un bouquet systématique comprenant les échanges culturels

---

30. Richard Erard, *op. cit.*

officiels, une interaction civile, la formation des enseignants et la diffusion des nouveaux genres culturels chinois[31].

Cette stratégie privilégiant le partenariat avec des institutions établies est habile, efficace et rentable. Elle a pour premier effet de rendre immédiatement acceptables les intentions de la Chine en les incarnant dans des entreprises dont l'affichage, l'organisation, le financement et la défense, si nécessaire, sont déjà assurés. Le projet chinois devient en quelque sorte un projet local. À ce titre, il peut bénéficier des ressources, des structures et des réseaux existants. D'autant qu'il a été vraisemblablement obtenu au terme d'une compétition où des engagements ont été consentis en contrepartie d'investissements significatifs de la première puissance virtuelle mondiale. Cette méthode a pour effet d'accélérer la mise en place du projet, et de créer les conditions d'une présence structurée et durable.

La Chine n'est pas seule à croire à l'importance de maîtriser sa langue principale au XXIe siècle. Ainsi, en 2005, les sénateurs Joseph Lieberman et Lamar Alexander ont introduit, au Sénat des États-Unis, un projet de loi prévoyant une dotation de 1,3 milliard de dollars pour soutenir l'enseignement de la langue chinoise sur le territoire national américain[32]. Cette initiative faisait suite à un important rapport de la puissante Asia Society qui fixait un objectif exigeant : apporter une réponse positive aux 2 500 institutions scolaires américaines désireuses d'offrir un enseignement de la langue chinoise et porter à 5 %, en 2005, le nombre d'étudiants qui choisissent cette option. Le plus récent *Rapport sur la Francophonie dans le monde* prend acte : « Il faudra toutefois compter, dans

---

31. Voir http://uk.china-embassy.org/eng/zt/Features/t274357.htm : « *It is expected to upgrade Chinese learning, mainly driven by pragmatic interests, to a systematic package encompassing official culture exchanges, civil interaction, training of teachers and dissemination of new breeds of Chinese culture.* »

32. Gretchen Ruethling, *op. cit.* Ce projet de loi s'intitule *United States-People's Republic of China Cultural Engagement Act.*

les années à venir, avec la concurrence du chinois, en Amérique du Nord, la Chine développant une politique très offensive en faveur de sa langue, finançant entièrement les programmes (professeurs et matériel pédagogique) pour les établissements qui le souhaitent, comme en Amérique latine[33].»

Certains identifient cette politique à une offensive qui déborde la seule affirmation culturelle et linguistique. Ainsi, les services canadiens d'information n'hésitent pas à l'évoquer comme un élément majeur d'une politique visant à gagner les cœurs et les esprits à travers le monde et, de cette façon, à atteindre le statut de puissance prépondérante[34].

La volonté et le positionnement de la Chine ne sont pas épuisés par cette politique d'affirmation linguistique et culturelle. Progressivement, la Chine rejoint le marché culturel mondial, celui de l'art contemporain représenté par la Biennale de Shanghai et la multiplication des galeries dédiées à l'art actuel en Chine[35], celui du spectacle et de la musique populaires, comme en témoignent la venue de groupes musicaux occidentaux en Chine[36] et la présence active de participants chinois au Marché international du disque, de l'édition musicale et de la vidéo musique (MIDEM), celui aussi du design où l'ambition est clairement affirmée : placer leur pays au premier rang et en faire un laboratoire mondial dans leur domaine[37]. Ces positionnements émergents se traduisent aussi par un intérêt renouvelé en Occident pour l'art asiatique et notamment chinois[38].

---

33. Organisation internationale de la Francophonie, *La Francophonie dans le monde – 2006-2007*, Paris, Nathan, 2007, p. 50.

34. Jim Bronskill, «Confucius enlisted in China's powerplay», *Globe & Mail*, 29 mai 2007, p. 1.

35. Eleanor Randolph, «Past the misty mountains, into a dark new art», *International Herald Tribune*, 9 septembre 2004.

36. Ben Sisario, «For All the Rock in China», *New York Times*, 25 novembre 2007.

37. James Brooke, *op. cit.*

38. Voir Holland Cotter, «Asia Week is Here, There, Everywhere», *New York Times*, 1er avril 2005 et Roxana Azimi, «L'éveil de l'empire du Milieu», *Le Monde*, 21 octobre 2007.

L'ambition russe

L'idée générale de restauration domine la politique conduite par les dirigeants de la Fédération de Russie. Récemment, cette idée a gagné le domaine de la politique linguistique comme composante du statut international, de l'influence politique et du rayonnement culturel de l'ancienne puissance mondiale. Reconnue comme grande langue internationale dans la seconde moitié du XXe siècle et parlée par 500 millions de personnes dans le monde, selon les évaluations de Moscou, la langue russe a connu un déclin certain en conséquence de l'implosion de l'Union des Républiques socialistes soviétiques, sa diffusion et son enseignement étant brusquement mis à mal par la perte de contrôle et d'influence de Moscou en Europe centrale et orientale et plus largement dans le monde. C'est ce mouvement que les autorités russes cherchent à renverser aujourd'hui en investissant à nouveau dans la mise en place « de l'espace linguistique russe » dans le territoire de leur fédération, en Europe et dans le monde.

Langue officielle dans de nombreuses organisations internationales depuis la fin de la Deuxième Guerre mondiale, la langue russe jouit aussi de ce statut dans de nouvelles communautés de nations créées ces dernières années : la Communauté des États indépendants composée de 11 États de l'ancienne Union soviétique et l'Organisation de coopération de Shanghai, composée de la Chine, de la Russie, des pays de l'Asie centrale et du Sud et de certains pays du Moyen-Orient. L'idée de l'organisation d'un espace commun pour les russophones du monde progresse et ses contenus se précisent.

En 2001, à l'occasion de la tenue du premier Congrès des « Concitoyens de la Russie résidant à l'étranger », le président russe a évoqué le besoin de « consolidation et de structuration du monde russe ». Cette intention a pris forme en 2003 par la création du Conseil international des compatriotes de la Russie. L'expression compatriote recouvre diverses catégories: citoyens expatriés, anciens citoyens de l'ex-Union soviétique, russophones d'Europe centrale et orientale, descendants d'immigrants et russophiles[39]. Ce conseil a vocation à fédérer l'ensemble de ces communautés, à y soutenir l'enseignement de la langue russe et, plus largement, à y développer des coopérations dans les domaines suivants qui constituent les thèmes de ses commissions: information, culture et enseignement, coopération économique, défense des droits des minorités, des femmes et des jeunes. Le Conseil organise des forums internationaux, donne des grands prix «Ensemble avec la Russie», dont un prix pour la préservation et le développement de la langue et de la littérature russes à l'étranger et un autre pour la contribution à la culture et à l'art russes. Il participe aussi aux politiques publiques qui viennent en soutien à l'enseignement de la langue russe par des appuis financiers importants aux institutions scolaires à l'étranger ou à travers le réseau de Centres russes de coopération internationale scientifique et culturelle.

Un nouveau monde

La mondialisation a transformé l'espace économique mondial dans le sens de sa plus grande unité. Elle est en voie de transformer l'espace culturel mondial dans le sens de sa plus grande diversité. Ces vastes mouvements ne sont contradictoires qu'en apparence.

Nous voici dans un nouveau monde, un monde plus encombré que celui qui, à la fin du siècle dernier, nous était annoncé par les apologistes de la mondialisation économique. Certes, l'interaction de l'économie de marché et des technologies de l'information et des communications a modifié durablement les assises de la croissance et du

---

39. OIF, *La Francophonie dans le monde – 2004-2005*, Paris, Larousse, p. 42.

développement, multiplié les centres de leur contrôle et de leur production, altéré la répartition internationale des lieux de production de la science et de ses applications et contribué à une redistribution des ressources, de toutes les ressources y compris humaines et financières. De l'avis d'un grand nombre, nous nous approchons d'un point de bifurcation, si nous ne l'avons pas atteint, dans l'équilibre des puissances. Bref, la mondialisation économique n'a pas produit un système unilatéral confortant les positions acquises des puissances. Elle a démultiplié ces dernières, fait apparaître de nouveaux pôles de croissance et de développement et modifié durablement les équilibres projetés au lendemain de l'implosion de l'Union soviétique. Elle n'a pas permis l'aboutissement des projets de libre-échange de la seconde génération au moment même où de nouvelles communautés d'intérêt émergeaient à l'initiative, notamment, de la Chine, de l'Inde et de la Russie, au moment même où de nouvelles initiatives contribuaient à la croissance des relations entre les puissances asiatiques et l'Afrique, l'Amérique latine et le Moyen-Orient.

Pour nouveau qu'il soit, ce monde est toujours fiduciaire des héritages immémoriaux de l'humanité : les déséquilibres de et dans l'histoire, la quête de sens qui met en présence, en débat et en opposition, dans une nouvelle proximité, les multiples explications religieuses, métaphysiques et éthiques élaborées dans la longue durée des civilisations, le positionnement contrasté des sociétés par rapport aux développements, les unes portées par une croissance continue et partagée, les autres toujours en attente d'une sortie de leur situation difficile, voire désespérée. Dans ce dernier cas, la sortie effective de centaines de millions de personnes de la pauvreté.

L'invention de l'imprimerie n'a pas conduit à la domination de la langue latine, comme certains l'avaient cru à l'époque, mais bien à la consécration d'un grand nombre de langues vernaculaires. L'essor des nouvelles technologies

n'a pas non plus produit une culture et une langue dominantes. Elle a plutôt conduit à une affirmation de la pluralité des héritages et des expressions linguistiques et
culturels. En conséquence, l'espace culturel mondial est en
pleine mutation. L'idée de la pluralité des expressions culturelles est désormais matière de la politique et matériau de
l'économie. L'expansion de l'usage d'une langue et le rayonnement d'une culture sont désormais considérés comme
des éléments forts de la présence, de l'influence et du
réseautage d'un pays vers un autre, d'un pays vers tous les
autres, sources aussi de croissance et de développement.

La Francophonie a mis sa signature sur la défense de
cette pluralité dans un temps où cette philosophie et cette
politique apparaissaient toujours abstraites et improba-
bles. Cette clairvoyance lui vient sans doute de sa longue
fréquentation des civilisations européenne, africaine, asiatique et nord-américaine, d'une pratique aussi de mise en
convergence des valeurs, aspirations et besoins de sociétés
issues de tous les horizons spirituels et culturels et d'une
capacité certes imparfaite mais néanmoins réelle de les
mettre au travail autour d'objectifs communs. Il importe
de garder à l'esprit cette toile de fond pour comprendre ce
que la Francophonie est devenue, ce qu'elle défend comme
valeurs communes, les domaines qu'elle privilégie dans les
chantiers considérables qu'elle anime au sein de la communauté francophone et dans le monde. Il importe aussi
de situer ces choix dans le contexte du nouvel espace
culturel mondial. Tels sont les objets de la seconde partie
de cet ouvrage.

Une Francophonie d'influence et d'actions

CHAPITRE QUATRIÈME

La Francophonie : itinéraire

Dans la nomenclature des communautés linguistiques et culturelles internationales, seul le Commonwealth des nations est plus ancien que la Francophonie. Le position-nement stratégique actuel de cette dernière s'est donc développé et enrichi sur une durée de près de quatre décennies à partir de sa situation propre et des effets des évolutions du monde.

Où en est la communauté francophone aujourd'hui ? Quelles sont les étapes majeures de son évolution qui lui donnent sa personnalité au début du XXIᵉ siècle ? Quelles sont les valeurs qui éclairent son orientation d'ensemble et déterminent ses contributions aux sociétés qu'elle ras-semble ? Et finalement quel est son positionnement dans la nouvelle configuration mondiale et notamment par rapport aux mutations qui transforment l'espace culturel mondial ?

Nord-Sud

La communauté francophone est née sur le continent africain comme expression d'une volonté d'abord africaine et d'un besoin de développement et de solidarité. Certes, sa nécessité a été ressentie ailleurs et notamment au Québec où, à l'initiative de Jean-Marc Léger, les journalistes et les universitaires francophones ont été conviés à se regrouper dans des associations à vocation transnationale au moment des indépendances[1]. Mais la détermination et l'initiative politiques qui présidèrent à la naissance de la communauté francophone furent, sans conteste, celles de leaders africains. Encore aujourd'hui, les pays du continent forment, en nombre, le premier groupe autour des tables de la communauté qui s'est enrichie de la présence d'autres groupes d'importance et notamment du groupe européen. De plus, la seule croissance possible et importante des locuteurs de la langue française se situe en Afrique. À l'horizon 2025, la communauté francophone pourrait rassembler près d'un demi-milliard de locuteurs si le français demeurait l'une des grandes langues du continent africain et si les enfants d'Afrique étaient scolarisés. Dans le cas contraire, elle comptera tout au plus 100 millions de locuteurs.

Ces données historiques, actuelles et prospectives sont constitutives, majeures et déterminantes. Dans un premier temps, elles ont conditionné quasi exclusivement la vision d'ensemble de la communauté. Aujourd'hui, elles se conjuguent avec d'autres impératifs, mais elles éclairent toujours l'intelligence des intérêts à long terme de la Francophonie et, en conséquence, doivent constituer un élément central de son positionnement stratégique.

La Francophonie est une communauté Nord-Sud depuis son installation dans l'histoire. Aussi loin que l'on puisse voir dans l'avenir, elle le demeurera. En conséquence, la question du développement, de l'entrée décisive de l'Afrique dans le cycle commun de la croissance et du développement occupe et occupera une place décisive dans la délibération, la concertation, la décision, les initiatives

---

1. Jean-Marc Léger, *Le Temps dissipé – souvenirs*, Montréal, Hurtubise HMH, 1999.

spéciales et les partenariats internationaux de la communauté francophone. Certains désespèrent d'une telle situation là où il faut la considérer comme un défi, sans doute
le premier et le plus considérable de la communauté francophone et de la communauté internationale.

Au plan géopolitique, l'évolution du continent qui
comptera 1,2 milliard d'habitants dans quelques décennies
est d'une importance considérable. Son échec ou sa réussite importent, tant les conséquences mondiales, dans un
cas comme dans l'autre, influeront sur les conditions
générales de la vie internationale. Certes, la Francophonie
n'a pas vocation à faire ce qui est d'abord de la responsabilité des Africains et ne pourra pas seule apporter
l'ensemble des appuis nécessaires au succès du continent.
L'Afrique n'est pas un corps étranger pour la Francophonie,
une zone susceptible de sombrer dans son indifférence. Si
tel devait être le cas, alors il faudrait faire le deuil de la
langue française comme langue internationale, le deuil de
son importance et de son influence dans le monde, de son
statut dans les organisations continentales et internationales et de toute possibilité de compter dans la concurrence linguistique et culturelle au XXIe siècle.

Évolution

Deux phases successives et fort contrastées ont marqué
l'histoire de la communauté francophone.

De 1970 à 1990, elle se définit comme une agence de
coopération culturelle et technique œuvrant dans quelques domaines classiques de la coopération : éducation et
culture, agriculture et énergie et quelques autres, avec une
ouverture limitée face aux autres organisations et à la
communauté internationale.

À compter de 1990, elle a connu un saut qualitatif, pour
emprunter un terme au lexique marxiste, en décidant
d'incorporer le vaste domaine de la coopération politique

entre ses États et gouvernements membres et « de faire entendre la voix de la Francophonie dans les grands débats mondiaux ». Trois événements considérables expliquent ce changement de nature dans les missions et les fonctions de la Francophonie.

– Au plan interne, la convocation par le président François Mitterrand, en 1986, du premier Sommet des chefs d'État et de gouvernement modifie en substance la nature et les contenus de la concertation et de la décision dans la communauté.

– Au plan externe, l'implosion de l'Union soviétique transforme l'espace politique mondial et place à l'agenda international les questions de la gouvernance démocratique, de l'État de droit et des droits humains. La communauté francophone ne pouvait rester à l'écart d'une telle mutation sans se marginaliser et se déshonorer.

– Enfin, les autorités politiques de la communauté décident de la pleine participation de la Francophonie aux nombreux sommets consacrés aux valeurs et aux biens publics mondiaux, sommets convoqués par les Nations Unies sous l'autorité du secrétaire général, Boutros Boutros-Ghali durant les années 1990.

Cette forte évolution a transformé durablement le positionnement stratégique de la Francophonie. D'une communauté d'abord tournée vers elle-même et consacrant l'ensemble de ses ressources à la coopération entre ses membres dans un nombre limité de domaines, la Francophonie, sans renoncer à sa coopération traditionnelle, enrichit son mandat des questions découlant des mutations géopolitiques mondiales et des exigences qui en découlent. Ses concertations, ses décisions, et donc ses choix d'investissements concernent désormais les deux domaines, celui de la coopération et celui de la politique.

Les conséquences de cette forte évolution sont connues :

- changement de la nature des rapports entre l'Organisation et ses États et gouvernements membres désormais conviés à définir, adopter et respecter des normes communes de gouvernance démocratique ;
- décision de la communauté d'investir les domaines de la prévention des conflits, de l'appui aux transitions politiques, au soutien à la démocratie, à l'État de droit et à la promotion des droits humains ;
- soutien aux initiatives de la communauté internationale dans un grand nombre de domaines connexes, de la ratification de conventions à la mise en place de la Cour pénale internationale ;
- développement de la coopération avec les organisations régionales, continentales et internationales poursuivant les mêmes objectifs ;
- élargissement de la communauté par l'accueil de nouveaux membres en provenance de l'Europe centrale et orientale.

De tels mouvements appelaient une mise à niveau de l'Organisation et des modifications institutionnelles importantes qui ont conduit à la structure d'autorité et de responsabilité actuelle et à l'élection du secrétaire général par les chefs d'État et de gouvernement.

Les effets de ces évolutions sur la stratégie de la communauté francophone sont considérables. Ils posaient la question de l'équilibre entre les deux domaines de son intervention, celle de la répartition équitable des ressources disponibles et de leur complémentarité. Pour certains, les arbitrages effectués ont conduit à la marginalisation relative de la coopération culturelle et technique au profit de la coopération politique, à un éloignement des missions et fonctions originelles concernant notamment la promotion de la langue française, le développement des systèmes éducatifs dans les pays africains membres de la communauté et le soutien à la culture dans toutes ses dimensions. Le jugement est parfois très sévère, mais ne va pas jusqu'à réclamer un retour au *statu quo ante* et à l'abandon de la dimension politique. Mais, selon ces critiques, les conditions d'un meilleur équilibre entre la coopération culturelle et technique qui aurait été mise à mal au profit de la coopération politique doivent être recherchées, et de façon urgente. D'autres se félicitent de l'importance accordée à la dimension politique qui a permis à la Francophonie d'acquérir une reconnaissance internationale qui lui faisait défaut. Ils considèrent de plus que cette stratégie «politique» a produit des effets favorables dans d'autres domaines d'intervention de la Francophonie qui viennent enrichir son positionnement stratégique. Elle a notamment conduit à l'inscription des questions environnementales et à celles posées par le développement durable dans la coopération francophone. Elle a conduit à l'engagement actif et fécond de la communauté dans la défense politique de la diversité des expressions culturelles. Enfin, elle a permis la mise en marche d'une coopération «culturelle» entre la Francophonie et, à son initiative, avec les autres communautés culturelles comparables.

Ces considérations n'épuisent pas la réflexion et la discussion concernant le positionnement stratégique de la Francophonie. À la vérité, les arbitrages évoqués précédemment font problème tant le niveau des ressources disponibles n'a pas suivi le niveau des mandats arrêtés par les États et gouvernements et l'accueil de plus de 20 nouveaux membres. Maintenu depuis dix ans, le *statu quo* budgétaire équivaut à une diminution des ressources disponibles. Aucune évolution ne peut justifier le délaissement de la coopération culturelle et éducative, sauf à abandonner la langue française à son sort. Aucune évolution ne peut justifier le délaissement de la coopération politique, sauf à renoncer à conforter l'exercice de la liberté humaine.

Au terme de l'examen qui suit, consacré à la gouvernance, aux objectifs généraux, à l'action politique de l'Organisation et à l'ensemble de ses interventions de coopération, nous serons mieux en mesure d'apprécier la position stratégique de la Francophonie telle qu'elle est aujourd'hui, ce qui est vivement espéré. D'imaginer aussi son évolution compte tenu de l'émergence du nouvel espace culturel mondial.

La gouvernance

Comme toutes les organisations multilatérales, la Francophonie est l'émanation de ses États et gouvernements membres. Ses institutions, ses orientations et stratégies d'ensemble, ses programmes récurrents et ses initiatives liées à la conjoncture, le niveau de son financement, ses choix budgétaires sont débattus, arrêtés et évalués par les autorités politiques nationales réunies dans les instances politiques de l'organisation. Certes, ceux et celles qui assurent sa gestion ont un pouvoir de proposition. Mais ce sont les États et gouvernements membres qui en disposent, les accueillent favorablement ou non, les enrichissent de leurs propres intentions et, finalement, arrêtent la décision.

Dans le cas de la Francophonie, cette autorité politique s'exerce à trois niveaux :

- celui de la Conférence des chefs d'État et de gouvernement ayant le français en partage (les Sommets) qui, depuis 1986, se réunit tous les deux ans, constitue le plus haut niveau décisionnel de la communauté, définit les domaines et la nature des interventions de la Francophonie, statue sur l'admission de nouveaux membres et élit le secrétaire général ;
- celui de la Conférence ministérielle composée des ministres des Affaires étrangères et/ou de la Francophonie des pays et des gouvernements membres. Cette conférence se réunit annuellement, prépare et assure le suivi des Sommets et traduit les orientations et décisions des Sommets ;
- celui du Conseil permanent de la Francophonie, présidé par le secrétaire général de la Francophonie et composé

des représentants personnels des chefs d'État et de gouvernement. Ce conseil se réunit plusieurs fois par année et veille à l'exécution des décisions arrêtées par la conférence ministérielle.

Telle est aujourd'hui la structure politique de la Francophonie.

Depuis 1986, la Francophonie dépend du plus haut niveau politique dans chacun des États et gouvernements membres. Elle acquiert de ce fait une dimension politique incontestable qui se traduit, sommet après sommet, par des prises de position concernant la situation politique et économique internationale, des prises d'initiatives aussi qui englobent et débordent les défis et enjeux spécifiques à la seule communauté francophone.

D'une communauté dépendant d'un niveau politique intermédiaire pour sa gouvernance, la Francophonie a accédé à une autre dimension à la suite de l'implication directe et récurrente des chefs d'État et de gouvernement depuis 1986. Ces derniers, au titre de l'adhésion de leur pays à la communauté francophone, se sont réunis à 12 reprises en Sommet. Cette implication des plus hauts dirigeants politiques a eu d'importantes conséquences sur une communauté jusque-là vouée quasi exclusivement à la coopération culturelle et technique entre ses membres. Désormais, elle est conviée à élargir sa mission et ses fonctions à des enjeux et défis nouveaux de nature politique et à apporter sa contribution à l'aménagement de la communauté internationale. Ces orientations n'ont pas été arrêtées par les institutions de la Francophonie. Elles l'ont été par les États et gouvernements qui en sont membres.

Élu par la Conférence des chefs d'État et de gouvernement pour un mandat renouvelable d'une durée de quatre ans, le secrétaire général de la Francophonie est le premier responsable de l'Organisation internationale de la Francophonie. Il préside à son action politique et à l'ensemble des activités de coopération conduites par les quatre opérateurs reconnus de l'Organisation[2]. Le secrétaire général est le porte-parole, le représentant officiel et le représentant légal de l'OIF. À ce titre, il peut signer des accords internationaux. Le secrétaire général rend compte au Sommet de l'exécution de son mandat. Pour l'accomplissement de ce dernier, le premier responsable de la Francophonie nomme un administrateur qui, par délégation, anime et gère la coopération intergouvernementale, propose les programmes de coopération de l'OIF, en assure la bonne mise en œuvre et veille à la bonne conduite des affaires administratives et financières de l'organisation.

L'architecture institutionnelle actuelle de la Francophonie est le résultat d'une longue et difficile négociation entre les États et les gouvernements membres. Leurs intérêts, leur compréhension des missions et fonctions de la Francophonie et leur appréciation contrastée de la mondialisation ne coïncidaient pas spontanément et leur mise en convergence fut longue et laborieuse.

La Francophonie dispose aujourd'hui d'institutions qui font consensus. En conséquence, le débat de la réforme des institutions est pour l'instant clos, à la satisfaction commune. Il a été long et rude, éclairé par des visions contradictoires, marqué par des ruptures, des résistances, des alliances circonstancielles en constantes recompositions. Cette sinueuse trajectoire s'est déployée sur plus de 20 ans. Elle a finalement produit un résultat de qualité. On doit au secrétaire général actuel, Abdou Diouf, d'avoir contribué, à toutes ses étapes, à la production d'idées nouvelles et, finalement, d'avoir créé les conditions de cohérence et d'unité entre des institutions jusque-là éclatées. Sous son autorité, les opérateurs sont conviés à rendre leurs investissements convergents et, comme il sera

---

2. Agence universitaire de la Francophonie (AUF), TV5Monde, Université Senghor d'Alexandrie, Association internationale des maires francophones (AIMF).

démontré plus loin, cette obligation a pris forme et donné des résultats significatifs.

Les valeurs

Sommet, conférence ministérielle, conseil permanent, organisation internationale, secrétaire général, administrateur, opérateurs: le dispositif paraît complexe. Il ressemble néanmoins pour l'essentiel à celui mis en place par les communautés comparables. Certaines se sont même inspirées du dispositif francophone dont notamment, au début des années 1990, celle qui réunit les pays lusophones et, au tournant du millénaire, celle en formation visant à rassembler « le monde russe ».

Considérant cette architecture politique et institutionnelle, une question vient spontanément à l'esprit concernant la nature des décisions arrêtées, leur cohérence et la productivité. Quelle est la doctrine et quelles sont les valeurs qui éclairent et donnent sens à l'ensemble des interventions de la Francophonie auprès de ses membres et dans la communauté internationale?

Au terme d'un long cheminement incorporant les évolutions de la communauté et celle du monde, un ordre de références ou de valeurs s'est imposé comme une vision de ce que les francophones peuvent et doivent accomplir ensemble. La Francophonie est aujourd'hui rassemblée pour promouvoir le respect de la diversité culturelle et linguistique, la liberté humaine, l'accès à l'éducation et au savoir, le développement durable et la solidarité.

La diversité

Les rédacteurs de la Convention et de la Charte adoptées à Niamey[3] qui ont donné naissance à la Francophonie voilà quatre décennies ont manifestement été obligés de

---

3. OIF, *Convention et Charte*, Paris, 1991, 28 pages.

penser ses objectifs en fonction de sa diversité constitutive. Ceux qui, 35 ans plus tard, ont rédigé la Charte de la Francophonie[4], adoptée à Antananarivo en 2005, ont été, eux aussi, astreints à la même exigence.

Entre les deux documents, l'adhésion de plus de 40 pays à la Francophonie, la création d'autres communautés culturelles et linguistiques, la fin de la guerre froide, l'élargissement de l'Union européenne, la mondialisation et l'augmentation des flux migratoires ont tous contribué à l'irruption de la diversité dans les affaires du monde. Cette dernière a finalement trouvé son aboutissement politique et sa reconnaissance universelle dans la *Convention sur la protection et la promotion de la diversité des expressions culturelles*, adoptée le 20 octobre 2005 à l'UNESCO par 146 pays sur 154 présents.

Que de nombreux pays francophones et la Francophonie elle-même puissent réclamer une part importante du crédit de cet aboutissement et de cette reconnaissance témoigne de la justesse de l'acceptation et de la préférence continue de la Francophonie en faveur de la diversité.

Telles sont la vocation et l'intention originelles de la Francophonie : rassembler des nations aux héritages, aux histoires, aux situations socio-économiques les plus variées, contribuer à leur connaissance mutuelle et créer entre elles des coopérations utiles, concrètes et visibles. Mettre en présence les unes des autres « des civilisations différentes, promouvoir et diffuser sur un pied d'égalité les cultures respectives des peuples participants [...] et éclairer les opinions publiques sur les cultures des pays membres », selon les fortes expressions de la Convention de Niamey de 1970.

Louable alors, cette intention est aujourd'hui impérative à l'intérieur de chaque nation et dans la communauté des nations. De sa transcription dans les faits dépend le

---

4. OIF, *Charte de la Francophonie*, 2005, 21 pages.

développement apaisé des sociétés, la paix entre elles et la sécurité commune.

Heureusement, la Charte de la Francophonie de 2005 reprend en les spécifiant ces objectifs premiers. Elle propose que soient intensifiés au sein de la communauté « le dialogue des cultures et des civilisations et la connaissance mutuelle de ses membres ».

Le pluralisme linguistique

La langue française est rarement évoquée isolément dans les textes fondateurs de la Francophonie. Dans la Convention de Niamey, la langue française est posée comme facteur de solidarité entre ceux que lie son usage. Elle y est reconnue comme l'un des champs de la coopération francophone concernant notamment « la formation des enseignants et des spécialistes de la langue et de la culture française ». Mais cette coopération, affirme le texte de 1970, « doit s'exercer dans le respect des langues nationales ou officielles ».

Dans le préambule du texte de la Charte adoptée en 2005, la langue française occupe une place plus centrale et plus dynamique. « Dans un monde respectueux de la diversité culturelle et linguistique », elle est identifiée à « un précieux héritage commun qui fonde le socle de la Francophonie, ensemble pluriel et ouvert, moyen d'accès à la modernité, un outil de communication, de réflexion et de création qui favorise l'échange d'expériences. » On y évoque de plus « le monde qui partage la langue française » comme contribuant à une histoire commune, capable aussi d'affirmation et de développement au sein d'une communauté solidaire. Enfin, à côté de l'action des gouvernements membres, l'apport des militants et des organisations publiques et privées « à la cause francophone... et au rayonnement de la langue française » est pleinement reconnu ainsi que leur contribution « au dialogue des cultures et à la culture du dialogue ».

Entre ces deux textes, un approfondissement certain et de multiples énoncés au plus haut niveau précisent la politique linguistique de la Francophonie. Ainsi, au Sommet de Beyrouth, premier Sommet de la Francophonie organisé dans un pays arabe, les plus hauts responsables de la communauté venus de tous les horizons culturels et linguistiques affirment en commun :

> Nous rappelons que la langue française, que nous avons en partage, constitue le lien fondateur de notre communauté et réaffirmons notre volonté d'unir nos efforts afin de promouvoir le plurilinguisme et d'assurer le statut, le rayonnement et la promotion du français comme grande langue de communication sur le plan international[5].

Certains militants francophones jugent sévèrement cette littérature toute en nuances et souhaitent que soit affirmé avec force le caractère premier de la langue française dans les objectifs et les programmes de la Francophonie. Ils plaident pour un engagement et une action d'abord centrés sur la promotion et la protection de leur langue, qu'ils jugent menacée, voire en déclin dans le monde. Ceux-là auront noté l'évolution de la place de la langue française dans les textes officiels de la Francophonie dans le sens d'une affirmation plus forte, plus centrale et plus dynamique. Certes, sa capacité d'assurer le lien et de fonder la solidarité entre les francophones constitue une constante dans ces textes. Mais dans la plus récente rédaction des objectifs de la Francophonie, elle est posée comme « précieux héritage commun et socle de la Francophonie », et son rayonnement comme une tâche commune des gouvernements, des militants et des organisations publiques « qui partagent la langue française ».

Dans *Une brève histoire de l'avenir*, Jacques Attali rappelle que « la langue française est une langue maternelle

---

5. *Francophonie et démocratie, Textes de références*, Paris, Éditions Pedone, 2003, p. 140.

uniquement en France, en Belgique wallonne, en Suisse romande, au Québec, dans quelques rares régions d'Afrique et du Canada anglais[6] ». Elle est aussi langue officielle dans 32 pays membres de la Francophonie, et partout en situation de cohabitation avec d'autres langues dites internationales telles les langues arabe et anglaise, avec de grandes langues nationales, notamment par le nombre de leurs locuteurs ou encore avec des langues locales profondément enracinées dans les sociétés et l'histoire.

À l'image du monde, la Francophonie est une communauté multilingue. Aucun pays francophone, à l'exception peut-être de la France, n'est en situation d'unilinguisme. Dans tous les autres pays dits francophones, le bilinguisme ou le multilinguisme dominent ; la langue française y est considérée comme langue officielle, langue seconde ou langue étrangère.

Telle est la situation géolinguistique à l'intérieur de la Francophonie. Tel est le jeu de références à ses tables quand y sont abordés les enjeux et défis culturels et linguistiques du monde et ceux propres à la Francophonie, y compris la promotion et la protection de la langue française.

Depuis ses origines jusqu'à aujourd'hui, la Francophonie a été et est toujours un laboratoire de cohabitation des langues où se conjuguent la reconnaissance des langues nationales et/ou locales, la prise en compte des langues transnationales et la promotion et la protection de la langue française. Dans son ouvrage *Pour une ambition francophone*, Dominique Gallet remarque fort justement que « le rôle du français est très rarement vécu comme antagoniste avec l'usage des langues maternelles ». Il prend à témoin le musicologue sénégalais Raphaël N'diaye : « Il faut que les gens comprennent que la Francophonie n'est pas une compétition entre le français et nos langues natio-

6. Jacques Attali, *Une brève histoire de l'avenir*, Paris, Fayard, 2006, p. 407.

nales, ou l'un ou l'autre, il est parfaitement concevable que ce soit les deux à la fois[7]. »

L'existence même de la communauté francophone serait inexorablement compromise sans cette attention durable aux « langues partenaires » selon la forte expression de François Mitterrand. Sans cette véritable alliance linguistique, la langue française serait confinée à un espace exigu – la France et les communautés francophones de Belgique et de Suisse, le Québec et les communautés francophones du Canada –, et son rayonnement serait, en conséquence, tributaire de cette base restreinte.

Dans le plan décennal de travail qui sert présentement de feuille de route à la Francophonie, la promotion de la langue française et de la diversité culturelle et linguistique occupe la première place des quatre missions retenues et se décline dans un nombre restreint de programmes. L'action de l'OIF en faveur de la langue française déborde cependant cette offre programmatique. Comme il sera établi plus loin, c'est l'ensemble des activités de l'organisation qui concourt, et puissamment, à la présence de la langue française, à sa présence et à son rayonnement dans ses pays membres et dans le monde.

La liberté humaine

Si la Convention et la Charte de Niamey (1970) restent muettes sur l'ensemble des questions relatives aux valeurs démocratiques et aux droits des personnes, il n'en va pas de même pour la Charte de la Francophonie (2005). Dans son article premier, cette dernière énonce en priorité « que la Francophonie a pour objectif d'aider à l'instauration et au développement de la démocratie, à la prévention, à la gestion et au règlement des conflits et au soutien à l'État de droit et aux droits de l'homme ».

---

7. Dominique Gallet, *op. cit.*, p. 58s.

L'implosion de l'Union soviétique et la vague de démocratisation qui déferle alors sur toutes les régions du monde ont amené la quasi-totalité des communautés comparables à reconnaître les valeurs démocratiques et celles des droits de l'homme et à les promouvoir. La Francophonie ne fait pas exception. Elle aussi fut interpellée par les événements qui ont mis fin à la guerre idéologique du dernier siècle, rallié la quasi-totalité du monde au libéralisme économique, donné une forte impulsion aux valeurs démocratiques et placé au fondement des rénovations souhaitées la nécessité de les inscrire dans une affirmation vigoureuse de la liberté humaine.

La communauté francophone a fait sien un mouvement qui exprime une aspiration universelle. Elle fut entraînée et changée par ces forts courants. En 1989, au Sommet de Dakar, elle inaugure un nouveau chapitre de son histoire en inscrivant pour la première fois dans sa programmation des interventions susceptibles de conforter la liberté humaine. Certes, le geste était à la fois décisif et limité; décisif puisqu'il rompait avec deux décennies de silence sur ces questions fondamentales, limité puisqu'il circonscrivait l'engagement au seul domaine de la coopération judiciaire. Mais il avait la valeur et la force d'une première. Depuis, l'ensemble des domaines convergents susceptibles de conforter l'exercice plein et entier de la liberté humaine a été reconnu et soutenu par la communauté: soutien aux valeurs démocratiques et aux exigences de l'État de droit ainsi qu'aux systèmes politiques les incarnant, reconnaissance des normes du droit international des droits humains et des pratiques consacrées pour leur promotion et protection.

Cette évolution a modifié en substance la nature même de la communauté et de la coopération qu'elle conduisait depuis sa création. Elle a contribué à l'évolution de ses institutions, enrichi substantiellement ses objectifs, modifié son appellation[8], forcé la réécriture de sa Charte et renouvelé ses partenariats au sein de la communauté internationale. D'une organisation intergouvernementale dotée d'un mandat de coopération entre ses États et gouvernements membres, la Francophonie accède à un autre niveau, celui d'une organisation intergouvernementale dotée d'un mandat normatif concernant la nature de leur régime, la légitimité des mandats de ceux qui les gouvernent et la qualité des droits et libertés de ceux qui y habitent.

Dans son plan décennal de travail, la Francophonie a fait de la promotion de la paix, de la démocratie et des droits de l'homme l'une de ses missions essentielles. Pour intervenir dans ces domaines majeurs et sensibles, elle s'est dotée d'une doctrine conforme aux normes et règles du droit international et ses équipes ont à leur crédit une expérience certaine, la constitution de multiples réseaux dans tout l'espace francophone et le développement de partenariats nombreux et de qualité dans le monde.

Le savoir

La Convention et la Charte de Niamey consacrent le savoir, sa production, son partage et sa diffusion dans les domaines scientifique, pédagogique et technique comme l'une des missions centrales de la Francophonie. Elles proposent une concertation permanente entre les responsables nationaux des grands secteurs de l'activité éducative, une structure permanente de rencontre et d'échange entre les spécialistes des diverses disciplines scolaires, une fonction de formation des enseignants et des spécialistes de la langue et de la culture françaises.

Trente-cinq ans plus tard, la Charte de la Francophonie (2005) fait de la promotion de l'éducation et de la forma-

8. Agence de coopération culturelle et technique (1970-1995), Agence intergouvernementale de la Francophonie (1995-1998) et, depuis, Organisation internationale de la Francophonie.

tion l'un des cinq objectifs de la communauté, reconnaît la Conférence des ministres de l'Éducation des pays ayant le français en partage (CONFEMEN) comme l'une des institutions de la Francophonie et consacre l'Agence universitaire de la Francophonie (AUF) et l'Université Senghor d'Alexandrie comme deux des quatre opérateurs directs reconnus par le Sommet.

Le déficit éducatif dans un grand nombre de pays africains membres de la Francophonie, déficit qui perdure, voire se creuse, est tout simplement tragique. Que dans ces pays, l'éducation de base ne soit pas encore accessible à tous et, dans certains cas, ne rejoigne qu'une minorité d'enfants, vient en contradiction manifeste avec l'ensemble des objectifs poursuivis par la communauté francophone : apprentissage de la langue française, promotion des droits humains, soutien à la démocratie, appui à l'enseignement supérieur et à la recherche, réduction de la pauvreté et soutien au développement durable.

Ce constat explique sans doute l'importance accordée à l'éducation dans le plan d'action adopté au Sommet de Beyrouth, à l'accès de tous les enfants à un cycle complet d'études primaires, sans disparité entre les sexes, à une approche intégrée du primaire au supérieur et à un enseignement et une formation permettant l'accès à l'emploi. Il explique aussi l'engagement de la communauté à apporter son appui aux États membres pour créer les conditions de leur admissibilité aux financements internationaux dédiés à l'éducation.

En matière de droits humains, de condition du développement, de progression du nombre de locuteurs de la langue française, d'affirmation culturelle, l'éducation constitue un levier indispensable. Depuis 40 ans et davantage, la Francophonie a fait du domaine une priorité et, comme il sera démontré plus loin, elle a multiplié les concertations, les initiatives et les programmes avec des résultats variables selon les niveaux. Sa contribution a eu un impact certain au niveau de l'enseignement supérieur et de la recherche, des résultats moins palpables concernant l'enseignement de base. Le développement du domaine constitue l'un de ses défis les plus manifestes tant la situation actuelle est intolérable. Il déborde cependant ses capacités propres. Ce défi est d'abord celui des États membres et celui de la communauté internationale tant le gouffre entre les besoins et les ressources disponibles au plan national est profond.

Le développement durable

Les textes fondateurs de la communauté francophone sont muets sur l'ensemble des questions que fédère le vaste domaine du développement durable. À l'instar de la communauté internationale, ces questions sont intégrées à ses préoccupations, concertations et investissements à la fin du siècle dernier. Définies largement, elles constituent aujourd'hui l'une des quatre missions de son plan stratégique décennal et l'objet de programmes importants de tous ses opérateurs.

D'abord limité aux questions énergétiques, le domaine a progressivement intégré les exigences environnementales, la définition de politiques publiques et réglementaires, y compris le développement des capacités nationales et l'accès aux financements nationaux et internationaux. Enfin, cette progression des préoccupations a débouché sur d'autres enjeux majeurs, dont l'investissement, le développement de l'activité économique et la dimension régionale du développement durable.

Tels sont les champs privilégiés de la coopération francophone, ses références permanentes et les valeurs qui éclairent l'ensemble de ses activités.

CHAPITRE CINQUIÈME

La Francophonie politique

La Francophonie est politique. Elle est issue de la délibé-ration et de la décision, lesquelles sont formalisées dans une Charte et une Convention intergouvernementales signées par des États et gouvernements à Niamey en 1970. Cette dimension a été réaffirmée, consolidée et précisée par les sommets successifs. Depuis 1990, elle a progressi-vement occupé une place de plus en plus importante dans la coopération francophone et, au Sommet de Hanoi en 1998, elle a été consacrée et portée à un niveau de priorité et de visibilité sans précédent.

Si, formellement, cette évolution s'inscrivait dans la continuité d'une coopération interétatique, elle en chan-geait radicalement la nature et les finalités. Désormais, comme évoqué précédemment, la Francophonie poursui-vait aussi des objectifs de nature politique concernant notamment la légitimité des gouvernements membres et la conformité de leur politique aux normes et pratiques internationales en matière de démocratie, d'État de droit et de droits humains. Désormais, la Francophonie se pro-posait d'intervenir dans les situations de crise, de conflit et de rupture de la légitimité démocratique. Désormais, la Francophonie se posait en acteur de la vie internationale et se proposait de l'enrichir de ses critiques, analyses et propositions. De toute évidence, ces choix inauguraient une ère nouvelle dans l'histoire de la communauté et changeaient radicalement sa mission et ses fonctions.

Le débat

Cette mutation a donné lieu à des appréciations contrastées.

– L'idée d'une telle prise de responsabilité politique a été applaudie par ceux que gênait la présence de régimes dont, c'est le moins qu'on puisse dire, la légitimité était plus que douteuse, par ceux aussi qui trouvaient scandaleux et tragique le silence de la communauté devant les crises politiques et les drames humanitaires qui affectaient des pays et des sociétés francophones. Enfin, dans ce groupe favorable à cette nouvelle vision, on retrouve aussi ceux qui désespéraient du rendement de la coopération dans des pays privés d'une gouvernance démocratique.

– Certains ont récusé et récusent toujours cette évolution qu'ils évaluent comme un tragique détournement de mission et de fonctions. Au fond, leur option n'est jamais exprimée clairement. Ceux-là rêvent d'un vaste mouvement de promotion de la langue française, à une espèce de reconquête des territoires perdus, et pensent avec nostalgie à ce temps béni où cette langue n'avait pas à composer avec la pluralité du monde tant elle dominait la diplomatie, le droit, les mathématiques et… les colonies. Cette fuite vers le passé doit être vue pour ce qu'elle est : une mystification dangereuse.

– Enfin, d'autres, sans remettre radicalement en question la nouvelle mission politique de l'organisation, s'inquiètent de sa prépondérance dans les investissements de la communauté. Ils observent qu'un déséquilibre s'est installé entre les ressources consacrées à la coopération et celles,

« considérables », dédiées à l'activité politique de la Francophonie. Leur plaidoirie concerne notamment la place de la culture et celle de la langue française dans la vision à long terme de la Francophonie, la culture comme fondement du rassemblement de la communauté, la langue comme son socle. L'écrivain sénégalais Amadou Lamine Sall a fortement exprimé cette inquiétude en 2006, inquiétude partagée par un grand nombre.

> La politisation de l'institution avait fini par la perdre, reléguant le magister de la langue française, de la culture en un mot, bien loin de ses priorités. L'on aurait pu se taire, applaudir de ses dix mains comme on dit chez moi, si au moins la Francophonie avait réussi là ou elle s'était engagée corps et biens, c'est-à-dire la politique. Mais nulle part, ni dans le conflit ivoirien, ni dans le conflit togolais post Eyadema, ni dans celui des deux Congo, pour s'arrêter là, elle n'a pu trouver ni imposer la bonne solution, sinon prendre part aux tentatives de règlement selon la plate formule d'usage. Partie pour être une solution aux nombreux soucis des poètes, écrivains, artistes, créateurs, intellectuels, chercheurs, linguistes, elle était devenue le problème majeur. Comme copropriétaires, désormais, avec la France, de la Francophonie, les créateurs du Sud avaient de plus en plus leur mot à dire sur la dérive au long cours ! Cette Francophonie-là n'était pas celle de Senghor, même s'il fallait lui concéder une naturelle évolution, selon les règles de la vie, de la marche des États, de l'évolution des peuples et des réalités géostratégiques du monde[1].

Que faut-il penser de ce jugement ?

D'abord, en début et fin de texte, noter une concession d'importance concernant « une naturelle évolution » et la prise en compte « des réalités géostratégiques du monde ». Il est vrai que « la bonne solution » n'a pas toujours été trouvée et imposée par la Francophonie, ni par elle, ni par l'Union africaine, ni par les Nations Unies. Tel qu'il

---

1. Amadou Lamine Sall, *Senghor, ma part d'homme*, Dakar, Les éditions feu de brousse, 2006, p. 117s.

sera établi plus loin, les interventions de l'Organisation dans les crises évoquées n'ont pas été sans effets dans un contexte de tourmente extrême et de reconstruction de tout ce qui était déstructuré. Dans le même ouvrage, l'écrivain, lauréat des Grands Prix de l'Académie française avec la Médaille de vermeil du rayonnement de la langue française, observe: «L'application de la démocratie, la défense des droits de l'homme et des libertés demeurent de manière intangible les premières garanties d'un État moderne[2].»

La question n'est donc pas celle de la politique et des valeurs démocratiques pour lesquelles Lamine Sall a écrit, en janvier 2000, peut-être l'un des plaidoyers les plus fervents venus du continent africain[3].

La question posée se rapporte à la nature d'un segment de la coopération politique conduite par la Francophonie, à sa capacité de produire des résultats, bref à la réalité de sa mise en œuvre. La question posée concerne aussi la place réservée «au magister de la langue française et de la culture». Ces interrogations en préoccupent un grand nombre et elles ne peuvent être écartées légèrement. Elles forcent la réflexion concernant le sens même du rassemblement des francophones, de la spécificité de ce qu'ils peuvent accomplir ensemble et des équilibres entre les domaines de leurs interventions. Elles se rapportent aussi aux arbitrages organisationnels et budgétaires, au niveau des ressources disponibles, à la responsabilité des États qui, sans jamais rien retrancher aux obligations de l'Organisation, ont ajouté de lourds mandats et maintenu le niveau des ressources disponibles.

La Francophonie est victime de cette irresponsabilité qui affecte un grand nombre d'organisations multilatérales, régionales ou internationales. Vingt pays ont été

---

2. *Ibid*, p. 64.
3. Amadou Lamine Sall, *Le Soleil de Dakar*, 18 janvier 2000.

admis dans la communauté ces dix dernières années et, comme évoqué précédemment, de nouveaux et lourds mandats ont été confiés à l'Organisation depuis 1990. Or, les ressources financières ont stagné, pour utiliser le langage des diplomates. À la vérité, compte tenu de l'inflation, les ressources ont diminué de 25 % depuis 1996.

Ce débat est loin d'être achevé. Il eut été surprenant et inquiétant que la priorité nouvelle accordée à la dimension politique de la Francophonie ne suscite aucune réaction. Ce débat est sain. Il traduit à la fois un attachement à la communauté, une volonté de la voir réussir et une préoccupation légitime concernant les équilibres entre ses visées complémentaires.

La Francophonie est politique de diverses manières :

- par sa réalité intergouvernementale qui, voilà 40 ans, l'a fait émerger dans la communauté internationale et qui n'a cessé depuis d'attirer et d'accueillir de nouveaux partenaires en provenance de partout à travers le monde – un État sur trois dans le monde ;
- par ses grands objectifs visant la reconnaissance de la diversité culturelle et linguistique, de la liberté humaine, du savoir et du développement durable. Ces domaines définissent, pour l'essentiel, l'espace public. En conséquence, ils appellent délibérations, concertations et décisions entre les États et gouvernements membres ;
- par ses références et valeurs concernant la nature des rapports entre les gouvernés et les gouvernants, les exigences de la démocratie, de l'État de droit et du respect des droits humains. Elle l'est aussi par sa capacité et son pouvoir d'intervention pour conforter ces références et ces valeurs communes là où elles existent et contribuer à leur établissement ou rétablissement là où elles font défaut, en appuyant notamment les institutions qui en ont la charge et la société civile qui en est garante ;
- par ses mandats l'obligeant à participer aux débats internationaux visant le respect des valeurs universelles et la prise en compte des biens mondiaux, dont notamment la justice internationale et le développement durable.

Cette participation aux débats internationaux se décline dans un nombre considérable d'interventions et de propositions formulées en langue française aux plans régional et international. Ce faisant, la Francophonie contribue aussi à l'usage, à la visibilité et à la promotion de la langue française dans un grand nombre de domaines et de forums où autrement elle n'aurait au mieux qu'une reconnaissance de principe, voire aucune reconnaissance. Le lien entre la dimension politique de la Francophonie et la promotion de la langue française n'est pas marginal, il est capital.

La réalité intergouvernementale

Née d'une convention entre États et gouvernements, la Francophonie dépend d'eux pour sa gouvernance et son organisation institutionnelle, pour l'établissement de ses objectifs et ses choix d'interventions ainsi que pour le niveau de ses ressources humaines et financières. Elle dépend d'eux pour la hauteur de ses ambitions. La Convention de Niamey en 1970, la Charte adoptée à Hanoi en 1997 et leurs mises à jour successives expriment cette convergence des volontés des États et gouvernements membres.

Ces accords ne sont ni spontanés, ni aisés à dégager. Ils ont été acquis au terme de longues et difficiles négociations marquées d'avancées et de ruptures, d'alliances à géométrie variable selon les intérêts, les visées et les ambitions des uns et des autres. Il ne peut y avoir que des visions multiples de la Francophonie, que des façons différentes de la définir et de la déployer. D'où l'importance constitutionnelle et fonctionnelle de ces accords qui constituent autant de précieuses synthèses de ce qui est souhaitable et possible, à un moment donné, entre des partenaires aux profils les plus contrastés.

La Francophonie ne fait pas exception à la règle commune. La réalité intergouvernementale est souvent frustrante et toujours laborieuse, ses rythmes sont rarement aussi accélérés qu'on le souhaite, ses décisions aussi limpides qu'il le faudrait. Les francophones ne pensent pas tous la même chose en même temps, et les séances de nuit s'ajoutent souvent aux séances de jour pour rendre convergent ce qui ne l'est pas spontanément. Rien n'est plus éloigné de la réalité de la Francophonie intergouvernementale qu'une vision unanimiste de ses délibérations et de ses choix. Disons-le franchement : les intérêts des francophones ne coïncident pas toujours, ni leur vision de la Francophonie.

Ainsi, on a vu des conférences de presse des chefs d'État et de gouvernement à la clôture d'un Sommet être retardées en raison de différends qui s'étaient levés entre eux ; des ministres des Affaires étrangères siéger jusqu'à trois heures du matin la veille même d'un Sommet pour dégager un texte commun ; les mêmes ministres forcés de poursuivre leurs délibérations à la suite de l'assassinat d'un chef d'État ou du déclenchement d'une guerre civile dans un État membre. Contrairement à ce qui est parfois affirmé, la Francophonie ne se réfugie pas dans une triste neutralité quand les principes démocratiques sont violés par un de ses membres. Elle a mis fin à sa coopération et suspendu les États délinquants dans de nombreux cas : Haïti, Niger, Mauritanie, Togo, Comores... Il est important de le mentionner ici.

Certaines prises de position en matière de promotion de la paix, de la démocratie et des droits humains passent difficilement le « tamisage » de certains États. Qu'il s'agisse des exigences démocratiques convergentes dans le cas du Vietnam, de la nature des équilibres entre les droits humains et les politiques dédiées à la sécurité nationale dans le cas de la Tunisie ou des alliances dites ou non dites comme ce fut le cas au Sommet de Bucarest pour la France et le Canada concernant l'appréciation de la responsabilité dans la guerre israélo-libanaise, la Francophonie étale parfois ses différends internes. On peut même affirmer que les périodes fortes dans l'histoire de la Francophonie ont été marquées par des débats vigoureux, de vraies négociations et finalement d'importants compromis. Cette évidence est perçue par certains comme un signe de faiblesse, une étonnante division là où il faut plutôt voir une preuve de la robustesse de la communauté et de la réalité de ce qu'elle débat. Il est faux de prétendre que la Francophonie est « lisse », qu'elle est une « grande famille unanime » et « sans discussion contradictoire »[4].

En parallèle avec ces évolutions et ces débats, la communauté francophone vit et se développe. Elle connaît une croissance continue. Elle rassemble, délibère et décide et ses palabres débouchent sur des propositions de qualité qui sont portées au niveau de la communauté internationale.

Une croissance continue

La croissance continue du nombre de ses membres constitue l'une des évolutions les plus spectaculaires et les plus discutées de son histoire récente. Vingt et un États et gouvernements signent la Convention qui donne naissance à l'Agence de coopération culturelle et technique en 1970. Quarante participent à la première Conférence des chefs d'État et de gouvernement en 1986. Ils sont aujourd'hui 55, auxquels s'ajoutent les 13 observateurs.

Cette croissance est marquée par deux données significatives. En quatre décennies, aucun pays membre de la communauté n'a choisi de s'en retirer, y compris ceux qui en ont été suspendus ou qui ont été mis en quarantaine de sa coopération. D'autre part, les demandes d'adhésion continuent de se presser à sa porte en provenance de toutes les régions du monde, y compris de pays qui, à première vue, ont peu à voir avec son « socle » linguistique. Pour une Algérie – parmi les tout premiers pays franco-

---

4. Dominique Wolton, *op. cit.*, p. 113.

phones par son nombre de locuteurs – dont la présence est ardemment souhaitée par un grand nombre tant sa réalité linguistique la situe naturellement dans la communauté francophone, combien d'Uruguay, d'Angola, de Thaïlande et de Catalogne; et, entre ces deux pôles, combien d'Israël, où la langue française occupe une place importante?

Ce mouvement donne lieu à un débat feutré mais néanmoins réel au sein de la Francophonie à la suite de l'entrée dans la communauté d'un certain nombre de pays de l'Europe centrale et orientale.

Élargissement ou approfondissement?

«Dilution et état de rupture», s'inquiètent les uns.

«Chance d'expansion et d'affirmation dans une région du monde où la compétition linguistique est intense entre les langues anglaise, allemande et française», répondent les représentants de ces pays.

Ces derniers rappellent le statut du français comme première langue étrangère enseignée dans les écoles, l'existence de lycées bilingues dans leurs pays – langue nationale et langue française –, celle de facultés universitaires travaillant en français. Ils rappellent aussi «la soif de culture démocratique et le fait que la Francophonie, moins bureaucratique que d'autres communautés, leur avait offert un accès à une coopération utile et avait aussi augmenté la visibilité de ceux qui, non sans opposition, plaidaient pour le maintien et le déploiement de l'option démocratique dans leur pays».

Les puristes de la langue et les technocrates de certains États du Nord s'unissent et font l'apologie de l'approfondissement. Les politiques voient manifestement les bénéfices de l'élargissement puisqu'ils ont consenti à cette «Francophonie d'adoption», et qu'ils l'ont applaudie. Sait-on que cette évolution n'est pas propre à la communauté francophone? Le Rwanda, Madagascar, l'Algérie, le Yémen et le Soudan ont tous fait connaître leur intérêt à joindre le Commonwealth et ce dernier a modifié ses critères d'admission « qui vont permettre d'accepter des pays qui n'ont aucun lien historique, ou des liens fragiles, avec le défunt empire britannique[5] ».

Dans la préparation de cet ouvrage, un certain nombre de représentants de ces nouveaux membres de la Francophonie en provenance de l'Europe centrale et orientale ainsi que de représentants de pays qui frappent à sa porte ont été interrogés.

Quels étaient ou quels sont, selon les cas, les motifs de leur intérêt à joindre la Francophonie ?

Pour tous, c'est la conviction que la qualité et la pertinence de la coopération francophone serviraient leur politique nationale dans des domaines d'importance :

- les institutions de la démocratie et les exigences de l'État de droit ;
- le développement de l'enseignement supérieur et de la recherche ;
- l'apprentissage de la langue française comme langue seconde ou étrangère ;
- l'intérêt aussi pour la conception de la diversité culturelle qu'incarne, pratique et promeut la Francophonie.

D'autres motifs ont aussi été évoqués.

Rescapés et victimes de la guerre froide, certains pays de l'Europe centrale ont souhaité joindre une communauté atypique porteuse d'une vision de la pluralité et exerçant dans ce domaine une influence croissante. De plus, sa dimension multilatérale, multiculturelle et intercontinentale offrait des perspectives séduisantes. Un accès direct à un ensemble de pays en Amérique et dans les Caraïbes, dans la région de l'océan Indien, en Asie et dans le Pacifique, dans une bonne moitié du continent africain

---

5. « Commonwealth of Whom ? », *The Globe & Mail*, 27 novembre 2007. « *... that would permit membership for countries with tenuous or no historical links to the defunct British Empire...* »

et, finalement, en Europe même. Une chance aussi de joindre les concertations conduites par la Francophonie à l'occasion des conférences internationales et auprès des institutions régionales et internationales.

Le désir d'Europe aussi a été un moteur de l'élargissement de la Francophonie. L'Europe de laquelle la Francophonie leur permettait de se rapprocher. On adhère donc à la communauté francophone comme levier d'accès à la communauté européenne?

Certains l'affirment sans hésitation.

La référence à l'Europe est particulièrement importante pour les interlocuteurs des pays du centre et de l'est de l'Ancien Continent. Au lendemain de l'implosion de l'Union soviétique, ils se sont retrouvés esseulés, assiégés par des nécessités considérables et des espérances démesurées, sommés de livrer la marchandise de la démocratie, du développement, du bonheur humain. Qu'ils aient cherché des lieux de délibération et de concertation pour combler leur isolement et nourrir leur réflexion, et que la Francophonie leur soit apparue comme susceptible de leur fournir quelques éléments de réponse constitue une remarquable appréciation de la Francophonie, de ce qu'elle représente et de ce qu'elle a placé dans l'histoire.

Il en va de même pour le rappel des liens historiques avec la France, leur passé francophile et le récit poignant de leur exil sédentaire durant plus d'un demi-siècle. Ceux-ci affirment qu'ils ont trouvé réconfort dans la langue, la culture et la réflexion françaises associées à la liberté. Ils évoquent la France des Lumières, celle du général de Gaulle et celle aussi de François Mitterrand...

Exister. Tout simplement exister

Pourquoi la Francophonie? «Pour ce qu'elle offre et qui est unique, ont répondu certains des interlocuteurs. De plus, ajoutent-ils, nous pensions que cette communauté reconnaîtrait que nous n'étions pas sans compétence, sans culture et sans histoire, même après ce demi-siècle de sujétion, d'humiliation et de feinte. »

Pourquoi la Francophonie? « Pour exister, simplement pour exister », selon d'autres. L'expression de « fraternité informulée » exprimée par Boutros Boutros-Ghali, alors secrétaire général des Nations Unies vient spontanément à l'esprit.

Ce qui pose problème dans l'élargissement de la Francophonie, c'est le peu d'exigences requises concernant l'usage de la langue française par les nouveaux pays « francophones », et le peu de soutien apporté par la coopération francophone, celle, bilatérale, offerte par les pays membres et celle, multilatérale, offerte par l'OIF pour l'apprentissage du français. Certes, la situation n'est pas la même dans tous les cas et les progrès enregistrés varient d'un pays à l'autre. Pour les pays de l'Europe centrale et orientale, on consultera avec profit l'inventaire de l'état des lieux publié dans le Rapport de l'OIF de 2006-2007[6]. On y découvrira aussi des initiatives susceptibles de faire avancer les choses dans le sens souhaité.

- la création par l'OIF en 2005 du Centre régional francophone pour l'Europe centrale et orientale (CREFECO) installé à Sofia, avec pour mission d'assurer la formation de formateurs dans le domaine de l'enseignement du et en français[7];
- la mise en place de la Conférence régionale des recteurs des universités membres de l'AUF en Europe centrale et orientale (CONFRECO) à l'initiative de l'AUF[8];
- la tenue à Vienne en 2006, à l'initiative de la Fédération internationale des professeurs de français (FIPF), du premier

6. OIF, *La Francophonie dans le monde – 2006-2007, op. cit.*, p. 59s.
7. Le CREFECO sert d'organe de concertation entre l'Albanie, la Bulgarie, la Macédoine, la Moldavie et la Roumanie.
8. L'AUF a aussi suscité la création de Conférences des recteurs pour les régions de l'Asie-Pacifique, des Caraïbes et du Moyen-Orient.

congrès européen de réflexion et d'orientation sur l'avenir de l'enseignement du français en Europe ;
- le projet de création, à Bucarest, d'une université francophone à vocation régionale, projet piloté par Emil Constantinescu, ancien président de la Roumanie et Christian Preda, secrétaire d'État roumain à la Francophonie.

L'adoption au Sommet de Bucarest d'un *vade-mecum* relatif à l'usage de la langue française par les États et gouvernements membres dans les organisations internationales constitue une mesure de correction utile dans la mesure où ses exigences visent tous les États et gouvernements membres. Depuis, le secrétaire général de la Francophonie s'emploie à faire respecter les termes de cette entente comme le prouvent ses interventions pressantes et continues à ce sujet. Tous les deux ans, le premier responsable de la Francophonie doit établir un état des lieux dans un rapport qu'il a l'obligation de déposer au Sommet des chefs d'État et de gouvernement.

Tout cela apparaît bien insuffisant et l'est en effet. La situation de la langue française sur le continent européen mérite une attention particulière tant elle apparaît fragilisée et tant sa marginalisation dans cette région du monde aurait des conséquences graves sur et pour la communauté francophone.

À quoi servirait donc l'entrée dans la communauté francophone de nombreux pays du continent si elle ne modifiait en rien, dans le court et le long terme, le rapport de force linguistique ? Ce rapport de force est aujourd'hui favorable à la langue anglaise « qui bénéficie d'une forte progression comme langue de travail au sein de l'Union européenne au détriment du français ». Il est aussi favorable à la langue allemande en raison du renforcement de « la position centrale » occupée désormais par l'Allemagne dans la communauté et, enfin, à la langue espagnole qui progresse, en Allemagne et ailleurs, dans l'enseignement des langues étrangères sur l'Ancien Continent[9].

Un pacte linguistique

Au lieu de regretter tristement l'élargissement déjà effectué et irréversible, comme certains le pensent, c'est un pacte linguistique qui doit être proposé aux pays de l'Europe centrale et orientale qui ont choisi librement de joindre la communauté francophone. Ce sont des normes sérieuses et vérifiables qui doivent être arrêtées pour les pays qui expriment une volonté d'adhésion en substitution de celles trop vagues qui prévalent actuellement.

L'élargissement accompli est irréversible. Il constitue un enrichissement pour la communauté francophone dans la mesure où il se traduira dans la durée par une progression réelle de l'usage de la langue française dans ces vastes territoires qui, librement, ont agrandi la géographie physique, culturelle, historique et linguistique de la communauté francophone.

La langue française ne se déploiera pas dans le monde sans des investissements conséquents et durables. Les pays anglophones ont décaissé massivement pour conforter leur langue dans le monde entier. La Chine s'y emploie aujourd'hui avec détermination et enthousiasme et y consacre des moyens considérables. La Russie vient d'arrêter une politique d'expansion culturelle et y consacre les ressources requises. Enfin, l'Espagne et ses partenaires de la communauté ibéro-américaine, en plus de jouir d'un élan certain pour la langue qu'ils ont en commun, investissent considérablement et notamment en Asie pour conforter son usage et son rayonnement. La venue de nouveaux partenaires dans la communauté francophone devrait

---

9. OIF, *La Francophonie dans le monde – 2006-2007, op. cit.*, p. 35 et 62.

normalement constituer un motif de satisfaction, un défi aussi pour que cette présence ne se transforme pas en regret, mais en un enrichissement du nombre de locuteurs de la langue française et un surplus d'influence et de présence dans la communauté internationale.

La plus-value francophone

Quelques enseignements d'ensemble se dégagent de nos conversations avec les représentants des pays nouvelle-ment membres de la communauté, et notamment une compréhension enrichie de la plus-value francophone. Une réponse à la question que plusieurs posent en toute bonne foi ou comme l'expression de leur scepticisme. Que peut donc accomplir la Francophonie que ses États et gouver-nements membres ne pourraient accomplir seuls ou avec la même force, la même célérité et la même chance de réussite?

La réponse est multiple, abondante et convaincante.

La Francophonie offre un espace transcendant le cadre national pour la délibération, la confrontation des points de vue et la concertation concernant un grand nombre de questions que posent les évolutions du monde : fonc-tionnement et réforme des institutions internationales, gouvernance et gestion démocratique, développement des institutions et des politiques publiques et prise en compte des exigences environnementales. Cet espace public rassemblant 68 États et gouvernements est le seul où la langue française est en amont et en aval de toutes les initiatives, source de référence, instrument de travail et levier d'intervention. En ce sens, l'intérêt culturel et linguistique des francophones n'est pas contrarié par son inclusion dans une proposition politique et géopolitique plus étendue. Au contraire, cette ambition est alors portée par une nécessité plus large, déployée dans de multiples domaines et répercutée par la suite dans de nombreuses enceintes internationales.

Cet espace rassemble, bon an mal an, des milliers d'hommes et de femmes : chefs d'État et de gouvernement et leur cohorte à l'occasion des Sommets ; ministres, leur personnel et leurs techniciens aux conférences ministérielles statutaires ou spécialisées ; responsables des organisations non gouvernementales, parlementaires, dirigeants des commissions des droits et libertés ou institutions équivalentes, maires des grandes villes ; administrateurs des parlements, des cours de justice, des universités, des réseaux scolaires ; responsables des chaînes de télévision ; experts en culture, en éducation à tous les niveaux, en droit dans toutes ses ramifications, en environnement et en énergie, en technologies de l'information et des communications ; juges, diplomates, ombudsmans, professeurs de français, linguistes, écrivains, cinéastes, pédagogues et bien d'autres encore.

Certains se scandalisent de ces multiples réunions et les considèrent comme des pertes de temps et d'argent. Cette critique est facile, mais parfois fondée. Il est en effet vraisemblable que certaines de ces réunions aient été stériles ou aient produit des résultats médiocres comme c'est aussi le cas pour des réunions au niveau des administrations nationales des pays et gouvernements membres ou des réunions tenues par des organisations comparables. En Francophonie, il y a beaucoup de petits juges aux tables multilatérales qui seraient vite confondus si on appliquait les normes qu'ils y évoquent à leur propre performance dans leur pays respectif. L'essentiel est ailleurs.

Il est dans la production de pensées utiles susceptibles d'application réelle et de résultats effectifs. Plus qu'on le dit mais moins qu'on le voudrait, la Francophonie et ses multiples instances ont produit ces résultats.

Palabres et diversité culturelle

Des innombrables rencontres consacrées à la culture, celles des chefs d'État et de gouvernement, des ministres, des créateurs, des experts et de tant d'autres, a finalement émergé une politique de la diversité culturelle. Avec la Francophonie, d'importants pays francophones, dont le Canada en Amérique du Nord et la France au sein de l'Union européenne, ont défini, proposé, défendu et fait adopter cette politique par la quasi-totalité des pays du monde en session plénière de l'UNESCO en octobre 2005, 148 voix pour, 2 contre et 4 abstentions.

Le contenu de cette politique a mis du temps à émerger, à se comprendre et à se dire. Elle a finalement trouvé son sens et ses mots au Sommet francophone de Maurice en 1999.

> Convaincus que les biens culturels ne sont en aucune façon réductibles à leur seule dimension économique, nous affirmons le droit pour nos États et gouvernements de définir librement leur politique culturelle et les instruments d'intervention qui y concourent; nous entendons favoriser l'émergence d'un rassemblement le plus large possible à l'appui de cette diversité et œuvrer à la mobilisation de l'ensemble des gouvernements du monde en sa faveur[10].

D'un coup, la philosophie et la politique de la diversité culturelle disposaient d'assises sur tous les continents et bénéficiaient du soutien d'un pays sur trois dans le monde.

Telle fut la trajectoire qui a conduit à l'adoption de la diversité culturelle comme quatrième pilier du développement durable (avec l'économie, l'équité sociale et l'environnement), à la Conférence de Durham, et à l'adoption de la Convention sur la promotion et la protection de la diversité des expressions culturelles. Dans le même domaine, la création de TV5, la télévision mondiale francophone, a

---

10. *Francophonie et démocratie, op. cit.*, p. 123.

émergé après des années de discussions, d'abandons et de reprises.

Aucun des États et gouvernements francophones pris isolément ne disposait ou ne dispose des capacités susceptibles de produire la politique mondiale de la diversité culturelle et de créer une offre télévisuelle à l'échelle planétaire. Rassemblés, les pays et gouvernements membres de la communauté francophone ont réalisé ces deux objectifs à la suite d'innombrables palabres dont certaines ont dû paraître bien problématiques. Voilà des exemples de ce que la Francophonie a réalisé et qui ne se serait pas produit autrement.

Palabres et démocratie

Les innombrables rencontres consacrées à la gouvernance démocratique et à ses composantes essentielles, le pluralisme politique, l'État de droit et la protection des droits humains ont finalement produit une doctrine et une politique francophones de qualité. Cette doctrine et cette politique ont été débattues dans d'innombrables réunions d'experts, colloques régionaux, conférences politiques et sommets durant une décennie. Colligé dans la Déclaration de Bamako de 2000[11], ce corps de doctrine est désormais installé durablement au cœur de la Francophonie.

L'idée d'institutions libres, fortes et indépendantes, inscrites pour la première fois au registre francophone à Dakar, s'y déploie avec des conséquences incalculables pour l'affirmation de la liberté et sa progression, certes difficile, mais néanmoins significative dans de nombreux pays francophones où elle a été en exil. La Déclaration de Saint-Boniface sur la prévention des conflits et la sécurité humaine, adoptée en 2006, est venue enrichir cette doctrine francophone en matière de droit en la conjuguant au

---

11. OIF, *Déclaration de Bamako*, Paris, 2000, 71 pages.

principe de la responsabilité de protéger reconnu alors par l'ensemble des pays francophones[12].

Aucun pays francophone seul ne disposait ou ne dispose des capacités susceptibles de donner forme et substance à de telles initiatives politiques en soutien des libertés humaines pour plus d'un demi-milliard de personnes.

Palabres et éducation

Chronologiquement, la délibération francophone dans le domaine de l'éducation a précédé toutes les autres. Elle a réuni ministres, recteurs, doyens, gestionnaires de réseaux et d'institutions, responsables de l'enseignement technique, enseignants, spécialistes de l'alphabétisation, rédacteurs de manuels scolaires, syndicalistes et autres professionnels du secteur. Elle a produit une profusion de réseaux qui, dans le domaine de l'enseignement supérieur et de la recherche, englobent la quasi-totalité des universités et grandes écoles des pays francophones et, au-delà, de très nombreuses institutions de haut savoir ailleurs dans le monde. Aujourd'hui, la coopération conduite par l'Agence universitaire de la Francophonie se déploie dans plus de 75 pays et fédère près de 700 institutions. Aucun pays francophone seul ne pouvait et ne peut développer et consolider une entreprise d'une telle envergure. Voilà ce que la communauté francophone a réalisé et qui ne se serait pas produit autrement.

Palabres et développement durable

Depuis deux décennies, la question du développement durable est inscrite à l'agenda de la communauté francophone. Thème de sommets, de conférences ministérielles et de concertations d'experts conduites par l'Institut de

---

12. OIF, *Prévention des conflits et Sécurité humaine: Déclaration de Saint-Boniface*, 2006, 10 pages.

l'énergie et de l'environnement de la Francophonie (IEPF)[13], la question du développement durable est inscrite dans les programmations de tous les opérateurs de la Francophonie. Ce fort engagement a permis aux pays et gouvernements membres de la communauté de se présenter en 1992 à la Conférence des Nations Unies sur l'environnement et le développement, communément appelée Sommet de Rio, avec des positions convergentes, voire communes. Il en fut de même lors des divers travaux de suivi de ce Sommet et jusqu'à aujourd'hui : Conférences des Parties des Conventions de Rio portant sur la Diversité biologique, sur les Changements climatiques et sur la Lutte contre la désertification. Aucun pays francophone seul ne disposait ou ne dispose des capacités de créer et d'animer de tels réseaux couvrant les cinq continents. Voilà ce que la communauté francophone a réalisé et qui ne se serait pas produit autrement.

Pour chaque société et pour les communautés qui ont vocation à les rassembler, vivre ensemble est une immense opération dont l'accomplissement favorable dépend de la qualité de la délibération, des décisions et des actions qui en découlent.

La communauté francophone n'échappe pas à la règle commune.

Sa mission de concertation est rendue plus difficile du fait des disparités économiques de ses membres, de leur divergence d'intérêts et de priorités, de la pluralité de leurs références spirituelles et culturelles, enfin de la nature de leur système politique. Cependant, comme établi précédemment, elle est capable de cohésion et capable de se penser comme un ensemble partageant des valeurs, des intérêts et des objectifs communs. Voilà ce que la Francophonie intergouvernementale apporte comme valeur ajoutée. Elle

---

13. OIF, *L'IEPF, 10 ans après. Quel bilan, quelles perspectives ?* Actes du Colloque international, Québec, 30-31 mars 1999, Québec, Marquis, 2000, 170 pages.

accomplit ces multiples travaux en langue française à des tables où siège un gouvernement sur trois dans le monde. Elle produit des corpus d'analyses et de propositions dans cette langue et lui assure incontestablement une présence et une visibilité dans les forums régionaux et internationaux qu'elle n'aurait pas autrement. Il reste à montrer comment cet ensemble considérable de délibérations, de convergences et de choix politiques se traduit dans des coopérations susceptibles de les mettre en œuvre concrètement et utilement.

CHAPITRE SIXIÈME

Francophonie et démocratie : indissociables

Certains ridiculisent la « prétention » de la Francophonie à exercer une mission politique et, en conséquence, à déployer une coopération conséquente dans ce domaine dit de souveraineté. Ils n'ont que mépris pour ce qu'ils désignent négativement d'ONU bis aux capacités inversement proportionnelles à ses ambitions. Par contre, les mêmes auraient sans doute protesté avec véhémence et raison si la Francophonie avait choisi de rester étrangère au vaste mouvement d'affirmation des valeurs démocratiques qui ont changé le monde à la fin du siècle précédent. Ils auraient alors condamné sa passivité et son inaction face à la multiplication des crises de gouvernance qui ont affecté et affectent si tragiquement plusieurs de ses États membres sur le continent africain.

Que n'aurait-on pas dit alors si les chefs d'État et de gouvernement réunis en sommet avaient ignoré la formidable avancée de la démocratie, « les progrès de la démocratie constatés dans le monde entier » selon leur propre appréciation[1], ou encore ne l'avait reconnue que par de

---

1. Déclaration de Chaillot, dans *Francophonie et démocratie, op. cit.*, p. 87.

vagues références générales sans autre forme d'engagement ? La Francophonie se serait alors mise hors de l'histoire et condamnée elle-même à d'incessantes crises internes qui l'auraient emportée, dévaluée et finalement condamnée. Elle se serait isolée des communautés comparables et aurait alors été submergée par une vague de condamnations internes et externes, par la dérision et l'opprobre d'un grand nombre.

Dès le Sommet de Dakar, en 1989, la création d'une délégation à la coopération juridique et judiciaire était arrêtée[2] et le premier programme de la Francophonie concernant la gouvernance démocratique était mis en place. Dédié au renforcement des institutions juridiques et judiciaires des États membres, ce programme est vite apparu insuffisant, le pouvoir juridique étant radicalement indissociable des autres pouvoirs. Les Sommets de Chaillot (1991), de Maurice (1993), de Cotonou (1995), de Hanoi (1997) et de Moncton (1999) prennent acte et enrichissent substantiellement la décision prise à Dakar en 1989.

La doctrine de Bamako

La Déclaration de Bamako et son plan d'action, entérinés par le Sommet de Beyrouth (2002) comblent ce qui devait l'être. Ils dotent la Francophonie d'une doctrine forte et d'une politique clairement définie « en vue de l'atteinte des objectifs prioritaires suivants : l'aide à l'instauration et au développement de la démocratie, la prévention des conflits, le soutien à l'État de droit et aux droits de l'homme ».

Cette déclaration est un acte politique, sans doute le plus considérable de l'histoire de la communauté francophone depuis sa création. « Francophonie et démocratie

---

2. Cette délégation est transformée en 2000 en une double structure, la Direction de la coopération juridique et judiciaire (DCJJ) et la Délégation aux droits de l'homme et à la démocratie. Les deux secteurs ont été unifiés en 2006.

sont indissociables[3] ». La semence placée dans les esprits et les textes à Dakar a produit des effets probants.

Dix ans plus tard, les États et gouvernements membres de la Francophonie, après avoir affirmé « l'attachement de leur communauté à la Déclaration universelle des droits de l'Homme et aux Chartes régionales », proclament leur adhésion aux principes suivants :

- la démocratie, système de valeurs universelles fondé sur la reconnaissance du caractère inaliénable de la dignité et de l'égalité, valeurs de tous les êtres humains ;
- l'État de droit, qui implique la soumission de l'ensemble des institutions à la loi, la séparation des pouvoirs, le libre exercice des droits de l'homme et des libertés fondamentales, ainsi que l'égalité des citoyens, femmes et hommes, devant la loi ;
- la tenue, à intervalles réguliers, d'élections libres, fiables et transparentes, fondées sur le respect et l'exercice, sans aucun empêchement ni aucune discrimination, du droit à la liberté et à l'intégrité physique de tout électeur et de tout candidat, du droit à la liberté d'opinion et d'expression, notamment par voie de presse et autre moyen de communication, de la liberté de réunion et d'association ;
- l'existence de partis politiques égaux en droit, libres de s'organiser et de s'exprimer, la démocratie allant de pair avec le multipartisme et l'assurance que l'opposition dispose d'un statut clairement défini, à l'abri de tout ostracisme ;
- la préservation de la démocratie qui contredit les coups d'État et toute autre prise de pouvoir par la violence, les armes ou quelque autre moyen illégal.

La production de ce texte a exigé un formidable investissement durant plus d'une décennie, de multiples rencontres et concertations, le travail des experts, le suivi des politiques et, finalement, leur engagement définitif. Ceux et celles qui ont consenti à ces investissements et fait réussir ce dialogue ont accompli une tâche considérable et indispensable.

---

3. OIF, *Déclaration de Bamako, op. cit.*, p. 13.

Acquis et insuffisances

Ce texte est aussi remarquable par la franchise de ses évaluations concernant les pratiques de la démocratie, des droits et des libertés dans l'espace francophone au cours de la dernière décennie du siècle précédent. D'une part, « acquis indéniables », de l'autre, « insuffisances et échecs[4] ». Tel est jusqu'à aujourd'hui le bilan d'une coopération sensible reposant sur des réseaux de juristes, de magistrats, d'activistes et plongeant loin ses exigences dans ces domaines dits de souveraineté. Comme il sera établi plus loin, la Déclaration de Bamako a été mise en œuvre avec célérité. Ses effets ont été considérables dans un grand nombre de pays en crise, en transition ou en reconstruction.

Certes, de la doctrine à la pratique, l'écart est manifeste en Francophonie comme pour le Commonwealth avec le Zimbabwe, le Nigeria et le Pakistan ou la Communauté ibéro-américaine avec le Venezuela. Mais il serait injuste de ne pas reconnaître les investissements consentis par la Francophonie pour combler cet écart avec des succès inégaux, des ratés certains, des régressions frustrantes et des avancées évidentes. Bien sûr, elle n'a pas réussi tout ce qu'elle a entrepris et n'a pas entrepris tout ce qu'elle devait réussir.

Dans l'ensemble cependant, l'on ne peut contester le fait qu'elle a contribué, et puissamment, à la diffusion des valeurs démocratiques dans l'espace francophone et à leur mise en œuvre, certes imparfaite, mais néanmoins décisive dans de nombreux pays. Il serait absurde, et pour les opérateurs de la Francophonie et pour leurs critiques, de ne pas reconnaître les immenses difficultés du domaine, l'actif et le passif d'une politique mise en œuvre voilà maintenant 15 ans et qui devra, pour donner ce qui est attendu d'elle, se prolonger loin dans le XXIe siècle.

---

4. *Ibid.*, p. 10s.

Cette politique a libéré la parole, validé le travail de la société civile, assuré la légitimité du pluralisme politique et celle des institutions démocratiques, aidé à la promotion et la protection des droits humains. Dans certains cas, elle a fait reculer les militaires et condamné les usurpateurs du pouvoir. Ainsi, dans le dernier rapport sur la Francophonie dans le monde, en 2006-2007, un long chapitre est consacré à la liberté de la presse dans l'espace francophone, « pierre angulaire des droits de la personne ». Le jugement d'ensemble porté par le secrétaire général, Abdou Diouf, est sans complaisance : « Trop de journalistes sont encore emprisonnés dans les pays membres de notre organisation, ou sujets à la censure. Il n'y a pas de démocratie sans liberté de la presse[5]. » L'analyse, pays par pays et région par région, du Nord et du Sud, qui suit cette évaluation est, elle aussi, sans complaisance. Gouvernements fautifs, situations douteuses, victimes, tous sont identifiés et nommés dans un inventaire exhaustif, saisissant et troublant.

La Déclaration de Bamako ne saurait être comparée à une formule alchimique susceptible de transformer, comme par magie, des situations parmi les plus déplorables en ce qui a trait aux libertés humaines. Elle constitue cependant une norme, un plan d'action et un système d'évaluation indispensables.

La Francophonie s'est mobilisée sur tous les fronts à la fois : rédaction des constitutions, mise en place des institutions, assistance multiple aux systèmes judiciaires et création d'associations pour les cours constitutionnelles, soutien au multipartisme, appui aux institutions chargées de la probité des processus électoraux, observation des élections, mise en place d'institutions nationales de promotion et de protection des droits humains, regroupement

---

5. Communiqué du Secrétaire général, « *À l'occasion de la journée mondiale de la liberté de la presse, Abdou Diouf exhorte les pays francophones à respecter davantage la liberté de la presse* », 2 mai 2006.

de ces dernières dans une association commune, prévention et gestion des crises, accompagnement des processus de restauration de la paix, aide aux organisations de la société civile. La Francophonie a fait le projet d'un vaste Observatoire chargé de la collecte et du traitement de l'information relative aux pratiques des États et gouvernements en matière de démocratie, des droits et libertés, et chargé de leur évaluation. Elle a fait de la prévention des conflits l'un des axes importants de son engagement et, en conséquence, développé des dispositifs d'alerte précoce mis en œuvre à maintes occasions.

La Francophonie s'est associée aux Nations Unies, à l'Union européenne, à l'Union africaine, au Commissariat aux droits de l'homme, aux instances régionales africaines, aux coopérations bilatérales, celle de la France, du Canada, de la Belgique et de la Suisse. Elle a aussi constamment fait appel à l'expertise maghrébine et à celles de l'Afrique subsaharienne, de l'océan Indien, des Caraïbes, de l'Europe centrale et orientale et du Machrek. Elle a publié rapports, appels et admonestations.

Contrairement à ce qui se répète selon la mode du plagiat contagieux, elle n'est pas restée silencieuse face aux coups d'État ou transitions antidémocratiques affectant certains de ses États membres. Elle a condamné et suspendu des pays membres et/ou mis fin à la coopération avec ces derniers et d'autres jugés délinquants par rapport à la doctrine et à la politique francophones proclamée à Bamako. Voyons cela d'un peu plus près.

Le Niger

Dans le cas du Niger, à la suite de l'assassinat du président Ibrahim Mainassara, le 9 avril 1999, le Conseil permanent de la Francophonie « condamne très fermement [cet] assassinat et exprime sa très vive préoccupation face au coup d'État [...] contraire à toutes les valeurs fondamentales de la Francophonie, exige que toute la lumière soit faite sur les circonstances de ce·drame, exige le rétablissement de l'État de droit et des élections dans les plus brefs délais, suspend, dans l'attente du rétablissement de la vie constitutionnelle, les programmes de coopération de la Francophonie à l'égard de l'État du Niger, en évitant de pénaliser les populations[6] ».

Pour sa part, le secrétaire général, Boutros Boutros-Ghali, dans un communiqué, « déplore, avec une très grande gravité, l'assassinat du président Ibrahim Mainassara » et « rappelle que la communauté des États et gouvernements membres de la Francophonie, dont le Niger est l'un des membres fondateurs, a pour valeur principale la démocratie, l'État de droit et le respect des droits de l'homme, et exhorte les autorités et le peuple nigériens à bien vouloir agir, dans un esprit d'union et de tolérance, pour que soient restaurées le plus rapidement possible les valeurs fondamentales sur lesquelles se fonde la Francophonie[7] ».

Le Togo

Dans le cas du Togo, après avoir constaté « la gravité des événements survenus à la suite du décès du président Eyadema et la distorsion ainsi marquée avec les engagements souscrits au titre de la Déclaration de Bamako sur le respect des pratiques de la démocratie, des droits et libertés dans l'espace francophone », le Conseil permanent de la Francophonie, présidé par le secrétaire général Abdou Diouf,

« condamne avec la plus grande fermeté le coup d'État perpétré par les forces armées togolaises et les violations caractérisées et répétées de toutes les dispositions constitutionnelles en vigueur, au mépris absolu des principes de

---

6. 32ᵉ session du Conseil permanent de la Francophonie, *Résolution concernant la situation au Niger*, Paris, 26 avril 1999.
7. OIF, Communiqué de presse, Paris, 9 avril 1999.

l'État de droit, prononce la suspension de la participation des représentants du Togo aux instances de la Francophonie et la suspension de la coopération multilatérale francophone ; à l'exception des programmes bénéficiant directement aux populations civiles et de ceux qui peuvent concourir au rétablissement de la démocratie ».

La Mauritanie

Dans le cas de la Mauritanie, le Conseil permanent de la Francophonie « condamne » le coup de force perpétré par une junte militaire le 3 août 2005 et « prononce la suspension à titre provisoire de la coopération à l'exception des programmes bénéficiant directement aux populations civiles et ceux susceptibles de concourir au rétablissement de la démocratie ». En phase avec l'ensemble des organisations internationales, la Francophonie lève sa suspension en octobre, constatant la mise en place des conditions propices à la tenue d'élections libres, fiables et transparentes. Elle s'engage alors dans un programme conséquent d'appui à la transition, contribue à la révision des textes fondamentaux et à la mise à niveau de la Commission nationale électorale indépendante.

La Côte d'Ivoire

Dans le cas de la Côte d'Ivoire, le Xe Sommet de la Francophonie, tenu à Ouagadougou en novembre 2004, condamne la reprise des hostilités et invite les parties ivoiriennes à renoncer définitivement à la violence. La Francophonie qui s'est engagée fortement dans la mise en œuvre des accords de Marcoussis et de Pretoria, crée un bureau spécial de la Francophonie sous l'autorité d'un représentant personnel du secrétaire général, l'ambassadeur Lansana Kouyate, et multiplie les initiatives en vue d'un rapprochement des forces en présence, dont une importante mission d'évaluation électorale en Côte d'Ivoire conduite conjointement avec les Nations Unies. À l'invitation des Nations Unies, l'OIF siège au sein du Groupe de travail international mis en place par la résolution 1633 du Conseil de sécurité[8], contribue à la production d'une feuille de route précisant les principales phases devant conduire à la tenue d'élections libres en Côte d'Ivoire, et est invitée à assurer la mise en œuvre d'un certain nombre de ces phases. Elle est aussi membre du Comité d'évaluation et d'accompagnement de l'accord politique de Ouagadougou.

La République démocratique du Congo

Dans le cas de la République démocratique du Congo (RDC), la Francophonie a joué un rôle significatif à chacune des trois étapes décisives de l'histoire récente de ce grand pays francophone au cœur du continent :

- dans la négociation visant à mettre fin au conflit armé qui, depuis le milieu des années 1990, a ravagé les institutions et la société congolaises ;
- dans la transition qui a suivi l'accord mondial et inclusif entre le gouvernement, les mouvements rebelles, l'opposition politique non armée et la société civile, signé à Pretoria, en décembre 2002 et adopté par l'ensemble des acteurs politiques et de la société civile à Sun City, le 2 avril 2003 ;
- dans la reconstruction consécutive à l'adoption d'une constitution et à la tenue d'élections législatives et présidentielles.

Ce rôle d'importance a été arrêté à l'occasion de rencontres entre le secrétaire général Abdou Diouf et le président Joseph Kabila, à Kinshasa, en avril 2003, et à Paris, le 2 février 2004.

Les engagements pris alors par le premier responsable de la Francophonie ont contribué à la mise en place des

---

8. Résolution 1633 (2005), adoptée par le Conseil de sécurité à sa 5288[e] séance, 21 octobre 2005.

cinq institutions d'appui à la démocratie prévues par les accords de Pretoria et de Sun City : la Commission électorale indépendante, l'Observatoire national des droits de l'homme, la Haute Autorité des médias, la Commission vérité et réconciliation et la Commission de l'éthique et de la lutte contre la corruption.

Aux fins de conforter ces cinq institutions d'appui à la démocratie, la Francophonie a organisé à Kinshasa, en avril 2004, un Symposium international sur la Gestion de la transition en RDC. Grande première, cette rencontre internationale a permis aux nouvelles institutions congolaises d'appui à la démocratie de nouer des contacts directs avec des institutions similaires ailleurs sur le continent et dans le monde et de lancer leurs propres travaux.

En partenariat avec les Nations Unies, la Francophonie a apporté son concours à l'Observatoire national des droits de l'homme et au Forum sur l'état des pratiques des droits de l'homme, organisé par ce dernier et regroupant, pour la première fois depuis la fin de la guerre, des représentants de la classe politique, de l'administration, des ONG et de la société civile de la RDC.

Elle a aussi aidé à la mise en place de la Commission électorale indépendante, favorisé la présence d'experts à ses côtés et permis l'échange d'expérience entre ses responsables et leurs vis-à-vis de la Francophonie.

En association avec les Nations Unies, la Francophonie a conduit une importante étude de faisabilité qui a permis, par ses recommandations et ses suivis, de fonder l'organisation électorale du pays et de réaliser ses tâches prioritaires : recensement et découpage électoral, système logistique et budget. Elle a de plus fourni une expertise de haut niveau dans le domaine de l'élaboration des textes fondamentaux jusqu'à la promulgation de la loi électorale, le 9 mars 2006.

Enfin, elle a apporté un concours majeur aux juridictions judiciaires, dont la Cour d'appel en matière électorale, les tribunaux de grande instance et la Cour suprême de justice investie des compétences requises pour décider de tous les contentieux électoraux concernant les candidatures et les résultats. Dans cet esprit, elle a mis à la disposition de la Cour suprême de la RDC une assistance juridique pour l'accomplissement de ses tâches à la suite des élections présidentielles et législatives tenues en 2006.

Hors l'appui aux institutions prévues par Pretoria et Sun City, la Francophonie a aussi conduit d'importantes séances de travail et de concertation avec les représentants des partis politiques, concernant notamment les droits, procédures et recours en matière de contentieux électoral. En conformité avec la plus ancienne conviction de la Francophonie déjà présente dans les textes de Niamey et réaffirmée dans la Déclaration de Bamako, elle a favorisé par un soutien considérable la traduction et la publication des textes de l'accord de Pretoria et des autres textes fondamentaux de la transition et de la reconstruction dans les quatre langues nationales.

La République centrafricaine

Dans le cas de la République centrafricaine, la Francophonie a soutenu le processus de transition engagé en 2004 et a contribué à la préparation du référendum constitutionnel et des consultations présidentielles et législatives. Outre les travaux de missions spécialisées, le secrétaire général s'est engagé personnellement dans le processus de transition en se rendant en République centrafricaine en février 2005 et en s'assurant de la présence de la Francophonie comme on l'avait souhaité à la Conférence de Saint-Boniface et au Sommet de Bucarest, et dans l'approfondissement de la paix et de la reconstruction au sein notamment du Comité des partenaires extérieurs pour le suivi de la politique de développement de la République centrafricaine.

Haïti

Dans le cas d'Haïti, la Francophonie a accompagné le gouvernement de transition à la suite du départ, forcé ou non, du président Aristide, le 29 février 2004. Cet accompagnement a pris diverses formes : appui au Conseil électoral par la dotation du matériel informatique qui lui faisait défaut, mise à la disposition d'experts francophones pour l'aider dans la révision des textes électoraux, planification et organisation du calendrier et des opérations électorales et mise en place d'une autorité de régulation des médias. Cette dernière contribution, l'élaboration d'une charte des médias et des journalistes en période électorale, a reçu l'aval d'un grand nombre de professionnels.

Dans l'important domaine judiciaire, l'OIF s'est vu confier par l'Union européenne et l'ACDI l'exécution du projet « Justice ». Ce dernier fédère leurs contributions comprenant notamment la révision des textes juridiques, le renforcement des capacités de l'Office de protection des citoyens et la formation des magistrats, y compris du personnel de la Cour de cassation. En mars 2005, Abdou Diouf a fait le voyage à Port-au-Prince. Il y a célébré la Journée internationale de la Francophonie dans la première république noire du monde et présidé une conférence internationale consacrée aux transitions démocratiques dans l'espace francophone. Cette conférence rassemblait les représentants de nombreux partis politiques, de l'administration et de la société civile haïtienne et les témoins, présidents de conférences nationales ou de dialogues nationaux des pays francophones ayant expérimenté des situations de crise et trouvé les voies et moyens de leur règlement[9].

---

9. OIF, *Rapport du Secrétaire général de la Francophonie, op. cit.*, p. 13s.

Bilan

Certes, dans ces domaines sensibles, l'action de la Francophonie a fait l'objet d'évaluations contrastées. Faut-il rappeler que cette action s'est généralement déployée «dans des conditions souvent difficiles de mise en œuvre liées à des situations économiques et politiques complexes, surtout dans des États en crise ou en sortie de crise»?

Certains ont évoqué le caractère souvent improvisé de ces interventions au-delà des urgences qui appellent une action immédiate, les dysfonctionnements et le manque de transparence qui aurait entaché certaines évaluations et, notamment dans le domaine électoral, le peu d'intérêt pour le travail conjoint avec d'autres organisations et notamment le Commonwealth.

Mais le bilan est loin d'être épuisé par ces critiques. Comme souligné précédemment, la production de la Déclaration de Bamako fut une opération politique majeure. Certains des programmes qui l'ont précédée ou suivie ont contribué substantiellement au développement d'une culture démocratique dans l'espace francophone, au renforcement des institutions et des pratiques qui la concrétisent, ainsi qu'aux chances de leur développement et de leur réussite dans la longue durée.

Ce bilan a été colligé dans un document montrant la diversité, la complexité, la qualité et les limites aussi de ce qui a été accompli. Les conclusions du Symposium international sur les pratiques de la démocratie, des droits et libertés dans l'espace francophone (Bamako + 5)[10] ont montré ce qui a été accompli et qui est considérable, puis ce qui reste à faire, qui est tout aussi considérable.

---

10. *Acte final du Symposium international portant sur les pratiques de la démocratie, des droits et des libertés dans l'espace francophone*, Bamako, 6-8 novembre 2005.
Voir http://democratie.francophonie.org/IMG/pdf/acte_final.pdf.

Ce bilan ne peut être limité aux activités, réussites et échecs de l'Organisation internationale de la Francophonie dans ce domaine comme dans tant d'autres ; il est aussi le bilan des États membres. Ces derniers ne peuvent se contenter d'une position théorique et déclamatoire en produisant des textes chargés de mandats impératifs versés immédiatement à la responsabilité de l'OIF sans leur consacrer des ressources suffisantes.

Enfin, prenant en compte la réalité de la communauté francophone, il importe de rappeler que pour émerger et durer, les valeurs démocratiques doivent certes se traduire par des résultats politiques, mais aussi par des résultats socioéconomiques. Cette jonction suppose que les dimensions institutionnelles et procédurales de la démocratie et la protection des droits de la personne, y compris les droits culturels, sociaux et économiques, sont complémentaires et indissociables. Cette jonction déborde la responsabilité de la Francophonie.

La démocratie n'est pas un montage uniquement institutionnel, une fiction constitutionnelle ou une espèce d'architecture juridique supra-temporelle. Elle vit d'abord dans l'esprit et le cœur d'une multitude. Ceux-là croient ou non qu'un système démocratique les mettra à l'abri de la discrimination fondée sur la race, la religion, le genre, qu'il établira leur égalité devant la loi, leur offrira l'accès à une justice indépendante et les préservera des mauvais traitements et de la détention arbitraire. Ils et elles espèrent aussi que la démocratie soutiendra leurs requêtes concernant l'accès à l'éducation, aux soins de santé et au travail. Bref, que leur consentement et leur participation recherchés et donnés par leur suffrage à des gouvernants leur apporteront protection, compassion, les affranchiront de la pauvreté et de l'exclusion sociale et contribueront à l'amélioration de leurs conditions de vie.

Telles sont les vastes promesses de la démocratie.

78 parlements

L'OIF n'agit pas seule dans la mise en œuvre de la Déclaration de Bamako. Elle bénéficie notamment de la participation et de l'analyse critique de l'Assemblée parlementaire de la Francophonie.

Créée en 1967, à l'initiative du président Léopold Sédar Senghor, l'Assemblée internationale des parlementaires de langue française (AIPLF) est devenue, en 1998, l'Assemblée parlementaire de la Francophonie (APF). Première institution politique à alerter l'opinion publique et à dénoncer le génocide au Rwanda, elle regroupe les parlementaires de l'ensemble des pays francophones de toutes les sensibilités politiques, parlementaires au pouvoir ou dans l'opposition et rassemble les membres de 78 parlements ou assemblées nationales.

S'inspirant du principe de l'immunité parlementaire, elle affirme et exerce une liberté de pensée et de parole comme assemblée consultative des Sommets où sont représentés exclusivement les détenteurs du pouvoir exécutif, et elle le fait vigoureusement.

L'APF intervient avec fermeté et en temps réel face à toutes les situations de non-respect des valeurs démocratiques et des droits humains, situations créées notamment « par les nombreuses transitions du pouvoir par la force des armes qui marquent un recul de la démocratie dans l'espace francophone[11] ».

Depuis 1998, elle n'hésite pas à condamner, voire à suspendre, les représentants de pays délinquants par rapport aux exigences de la démocratie. Tel fut le cas à la suite des coups d'État qui ont eu lieu en Haïti, au Niger, aux Comores ou en Guinée-Bissau.

Elle refuse de reconnaître les organes du pouvoir législatif non issus d'élections libres et transparentes et suspend ceux de ses membres qui se sont rendus coupables

---

11. *Ibid*, p. 308.

de violation des droits humains. Abdou Diouf a un jour dit de l'APF que «sa liberté de ton et son indépendance de parole sont pour la Francophonie l'assurance d'une conscience en perpétuel éveil[12]».

En 2000, à Yaoundé, l'Assemblée recommande à la Conférence des chefs d'État et de gouvernement «de ne pas convier aux Sommets de la Francophonie les chefs d'État et de gouvernement des pays dans lesquels les institutions démocratiques ont été renversées par la force, et cela jusqu'au rétablissement de l'ordre constitutionnel à la suite d'élections libres et sincères[13]».

Prenant acte du fait que dans de nombreux pays, les institutions parlementaires devaient s'inventer elles-mêmes, sans traditions, sans pratiques et souvent sans moyens, l'APF a développé toute une gamme de programmes de coopération pour conforter ces institutions là où elles existent ou pour les faire émerger là où elles font défaut. Ces programmes visent notamment les objectifs suivants:

- créer les conditions d'un fonctionnement démocratique, transparent et efficace des assemblées parlementaires, comprenant la fonction de l'exécutif, la place de l'opposition, le rôle des commissions et le statut de la femme en politique;
- contribuer à la satisfaction des besoins des parlements en matière de comptes rendus de leurs travaux et à la mise à disposition de la documentation indispensable pour préparer, voter et évaluer les lois;
- soutenir l'installation de services informatiques, y compris des sites Internet, pour créer les conditions de visibilité et d'interactivité des assemblées parlementaires;
- assurer la formation des fonctionnaires chargés de l'administration et du bon fonctionnement des assemblées parlementaires;

---

12. OIF, Allocution de monsieur Abdou Diouf, Cérémonie d'ouverture de la 33e session ordinaire de l'Assemblée parlementaire de la Francophonie, Libreville, le 5 juillet 2007.
13. *Francophonie et démocratie, op. cit.*, p. 402.

– offrir des sessions intensives de formation à l'intention des parlementaires consacrés «au statut et aux droits de l'opposition parlementaire», aux «moyens de contrôle de l'action parlementaire», à «l'utilisation responsable des organes d'information publique et privée», au «droit à l'expression des petits partis», à «la concertation entre Parlementaires, responsables des groupes de pression et associations de citoyens comme moyen d'assurer la recherche de consensus au sein de la nation, à la liberté de croyance[14]...»;

– organiser des conférences régionales consacrées au bilan de la démocratie, notamment en Afrique.

Depuis 2002, l'APF dispose d'un Réseau des femmes parlementaires qui contribue à la prise en compte de la question du genre dans l'ensemble des interventions des parlementaires de la Francophonie.

Réfléchissant à l'évolution de cet ensemble de coopération, l'ancien secrétaire général de l'APF, Jean-Yves Pauti laisse tomber: «Nous sommes passés d'une logique d'assistance à une logique de dialogue entre égaux.»

Marquant à la fois sa collaboration et sa distance à l'endroit de l'OIF, l'Assemblée participe aux missions d'observation d'élections décidées par l'Organisation «chaque fois qu'elle estime que les conditions sont remplies, notamment en ce qui concerne la préparation du scrutin, la pluralité des candidats ou la mise en place d'une commission électorale indépendante». Par ailleurs, elle regrette «les saisines parfois tardives et le fait que l'on peut s'interroger dans certains cas sur leur utilité réelle au regard, notamment, des usages qui conduisent les rapports de mission à être peu critiques quant aux irrégularités constatées[15]». L'OIF doit en prendre note!

De plus, l'Assemblée plaide pour une politique résolue de prévention des conflits comprenant «la constitution

---

14. *Francophonie et démocratie, op. cit.*, p. 282s.
15. *Ibid.*

rapide d'une force d'interposition d'urgence en liaison avec les organisations internationales concernées[16] ». Elle pratique ce qu'elle prêche et n'hésite pas à intervenir en offrant ses bons offices de médiation comme elle l'a fait en de nombreuses circonstances, notamment en Haïti et au Burundi. Devant la situation dégradée dans la région des Grands Lacs, elle a demandé à maintes reprises au Conseil de sécurité des Nations Unies de convoquer une conférence internationale pour contribuer au règlement de la crise qui affecte durement les citoyens et les pays de cette grande région au centre du continent africain.

Comme assemblée parlementaire consultative, l'APF intervient vigoureusement à l'occasion des Sommets, sous la forme d'avis substantiels au contenu souvent exigeant et novateur portant sur un très grand nombre de domaines : mise en œuvre des droits sociaux et économiques et « priorité absolue à l'accès effectif de tous les enfants à l'éducation de base[17] » ; émission d'un visa francophone ; création d'un marché commun francophone des biens culturels ; mise en place d'une agence de la jeunesse francophone ; mesures ciblées pour favoriser et soutenir l'entrepreneuriat des jeunes en matière économique ; création d'un parlement francophone des jeunes ; application effective des conventions internationales relatives aux droits des enfants, aux mines antipersonnel, à la propriété intellectuelle et concernant les biens culturels volés ou illicitement exportés. Elle a donné son appui à la création de la Cour pénale internationale et à la Convention sur la diversité culturelle. Elle n'hésite pas à évoquer la question de la corruption, « fléau majeur qui gangrène l'économie mondiale et, de façon plus nocive, l'économie des pays en développement[18] ». Elle a enfin apporté son soutien à la liberté de

---

16. *Ibid.*, p. 296.
17. *Ibid.*, p. 312.
18. *Ibid.*, p. 398.

la presse et au pluralisme d'opinion[19] ainsi qu'aux ONG dans les pays francophones[20].

L'Assemblée s'est félicitée de la levée de l'hypothèque institutionnelle qui a absorbé, divisé et ralenti la Francophonie durant de longues années. Elle a marqué son accord avec la Charte rénovée adoptée au Sommet de Hanoi en 1997. À la suite des importants travaux de modernisation et de rationalisation des institutions découlant de la nouvelle Charte, travaux conduits par le secrétaire général Abdou Diouf et l'administrateur, Clément Duhaime, la rénovation des institutions a été complétée et adoptée par la Conférence ministérielle réunie à Madagascar en 2005. Tout cela semble bien abstrait, à des années-lumière des enjeux et défis du temps. Mais ce n'est cependant pas le cas. La communauté francophone a besoin d'une organisation capable de vision et de cohérence, efficace et sûre d'elle-même, audacieuse et imputable. Certes, elle devra, comme pour toutes les organisations comparables, continuer à s'interroger sur le bon usage de la ressource institutionnelle que représente l'OIF, mais elle le fera désormais à partir d'une situation normalisée et mieux accordée aux nécessités du temps.

200 capitales et métropoles

L'aménagement urbain appartient à ces nécessités du temps dans « ce millénaire des villes » selon l'expression de Kofi Annan. En effet, pour la première fois dans l'histoire de l'humanité, une majorité des habitants de la planète est urbaine et ce mouvement ira croissant dans les prochaines décennies. La population urbaine de la planète comptera pour plus de la moitié de la famille humaine, soit 5 milliards de personnes, au milieu du XXIe siècle. Ce mouvement est irréversible. S'il a fallu un demi-siècle pour que

---

19. *Ibid.*, p. 420.
20. *Ibid.*, p. 428.

la population du monde passe de 2,5 milliards à 5 milliards d'hommes, il faudra 30 ans tout au plus pour que la population urbaine croisse dans une même proportion. Au sein de la Francophonie, l'Association internationale des maires francophones (AIMF) est chargée d'accompagner la mise en œuvre des politiques d'aménagement urbain.

Créée en 1979 à l'initiative des maires de Paris et Québec, Jacques Chirac et Jean Pelletier, l'Association comptait à l'origine 20 villes. Elle regroupe aujourd'hui près de 200 capitales et métropoles francophones auxquelles peuvent s'ajouter, depuis 2004, les associations nationales de villes, à titre d'observateur. En 1995, au Sommet de Cotonou, l'AIMF devient l'un des opérateurs de la Francophonie pour la coopération décentralisée. Révisés en 2006, ses objectifs lui font l'obligation d'œuvrer « au renforcement de la démocratie locale, d'accompagner les politiques de décentralisation et de donner aux collectivités les moyens d'assurer leurs nouvelles responsabilités ».

Ce travail de coopération a été engagé dès 1989 dans un Plan de coopération informatique qui a notamment contribué à l'informatisation de l'état civil de nombreuses capitales et métropoles dans l'espace Sud de la Francophonie. En conséquence, ces dernières disposent enfin de listes électorales permanentes et d'information statistique, instruments indispensables pour l'exercice des droits des citoyens, la gestion urbaine, la planification des services publics, dont les services sanitaires, du logement et de l'éducation. Le plan informatique de l'AIMF a aussi transformé les services du budget, de la fiscalité, de la paie et du personnel d'un grand nombre de capitales et métropoles du Sud et ainsi mis à leur disposition des outils pour un meilleur usage et contrôle des fonds publics.

Cette coopération vise en priorité à conforter la démocratie locale, la bonne gouvernance et le respect des droits des citoyens, grâce à l'élaboration de normes communes et de pratiques partagées qui font l'objet des délibérations des élus au sein de l'AIMF et des travaux de son Observatoire de l'état civil, créé en 2002. Elle a de plus intégré la société civile en reconnaissant l'importance de la consultation, de l'information et de la participation des ONG dans la définition de politiques, la planification et la gestion urbaines. En conséquence, elle s'est rapprochée de plusieurs d'entre elles qui se sont constituées en réseau associé à l'AIMF.

La création, en 1990, d'un Fonds de coopération pour la réalisation de projets urbains a considérablement enrichi l'offre de l'AIMF à ses villes membres. Depuis, l'Association a investi dans l'assainissement des espaces publics, l'organisation et la construction des marchés, l'aménagement des équipements urbains dans les domaines de la santé, des services sociaux, des loisirs et des communications pour les jeunes. Avec l'OIF, elle conduit un important projet expérimental au Vietnam, en Moldavie et au Burkina Faso visant à développer un modèle de centre d'accès aux ressources rendues disponibles par les technologies de l'information et des communications. Ce programme des « Maisons des savoirs » pourrait s'étendre éventuellement à de nombreuses capitales et métropoles de l'espace francophone.

Compte tenu des immenses besoins des villes, l'intervention de l'AIMF apparaît modeste. Par ses programmes ciblés et de qualité dans les deux domaines de la démocratie et du développement urbain, elle n'en constitue pas moins une offre grandement appréciée. Interrogés durant la phase de recherche de notre travail, des administrateurs municipaux ont affirmé que la coopération internationale était peu développée dans leur domaine et que l'apport concret et utile de l'AIMF constituait un pôle de références, de bonnes pratiques et de contributions concrètes et utiles, un pôle rendu plus efficace par l'aisance que permet la langue commune partagée par les partenaires.

La voix de la Francophonie

Aucune organisation regroupant un nombre conséquent de pays et de gouvernements membres ne peut se soustraire aux évolutions de la communauté internationale, aux enjeux et défis qu'elles lui posent et, en conséquence, aux débats et aux interventions qu'elles suscitent.

La Francophonie ne fait pas exception à cette règle. D'autant plus que sa structure institutionnelle prévoit, depuis 1986, la rencontre périodique des chefs d'État et de gouvernement qui, à l'évidence, ne peuvent rester à l'écart de ces débats et de ces interventions. Ils ont d'ailleurs affirmé à plusieurs reprises «la nécessité pour la Francophonie de faire entendre sa voix dans les grands débats internationaux et de contribuer au respect de la diversité culturelle et linguistique, historique, économique et sociale, facteur d'enrichissement pour l'humanité[21]». La nécessité, aussi, «d'approfondir les concertations entre les États et gouvernements francophones sur les thèmes débattus dans les enceintes internationales et qui sont prioritaires pour la Francophonie[22]».

Compte tenu de la composition, de la mission et des fonctions de la Francophonie, certains de ces débats, celui du développement, et notamment concernant le droit à l'éducation, celui de la paix et de la sécurité, celui de la diversité, celui de l'État de droit, de la démocratie et des droits humains, y compris l'égalité et l'équité hommes-femmes, recoupent ses propres priorités. D'autres débats l'interpellent comme fragment de la communauté internationale pouvant et devant concourir à la recherche de solutions d'ensemble qui répondent aux besoins et servent les intérêts spécifiques de ses membres : équité des règles du commerce international, défis posés par l'urbanisation,

21. *Ibid.*, p. 92.
22. *Ibid.*, p. 147.

les changements climatiques, l'accessibilité à l'eau, la protection contre les pandémies, l'atteinte des Objectifs du Millénaire et bien d'autres.

La victoire sur le sous-développement

Si la Francophonie s'est enrichie ces dernières années d'un nombre considérable de pays du centre et de l'est du continent européen, elle n'en demeure pas moins une communauté au sein de laquelle la relation Nord-Sud est toujours prépondérante et constitutive. Mohamed Talbi a dit l'essentiel dans cette simple phrase : « L'avenir du français en tant que langue internationale est lié à la victoire sur le sous-développement[23]. » Dominique Wolton vient de le réaffirmer autrement : « La réalité de la Francophonie, écartelée entre quelques pays riches et beaucoup de pays pauvres, est une invitation quotidienne à la solidarité[24]. »

« La compassion d'un grand nombre s'est usée », selon l'expression d'Arundhati Roy[25]. Elle s'est usée et n'a été remplacée par rien, ni par une aspiration à la justice et à l'équité ni même par une saine appréhension des intérêts des uns et des autres. Certains commentateurs du Nord expriment une fatigue devant la réalité Nord-Sud de la Francophonie et, sans le dire clairement, rêvent d'une communauté plus équilibrée par rapport au développement de ses membres.

La Francophonie n'est pas, ni aujourd'hui ni dans l'avenir, envisageable sans son fragment sud, sans l'Afrique. Il serait suicidaire pour elle, au moment même où la mondialisation « bouleverse notre relation avec le proche et le lointain », qu'elle consente au mouvement inverse et éloigne ce lointain qui lui est proche sans réaliser qu'elle s'ampute ainsi d'une part d'elle-même et de toute chance

---

23. Dominique Gallet, *op. cit.*, p. 33.
24. Dominique Wolton, *op. cit.*, p. 75.
25. Arundhati Roy, *Le coût de la vie*, Paris, Gallimard, 1999, p. 62.

d'exister dans la recomposition en cours de l'espace culturel et linguistique mondial.

De sa composition découlent des obligations spécifiques dont celle de contribuer à la pleine participation de tous ses États membres, du Sud comme du Nord, aux débats internationaux, de chercher à les infléchir dans le sens de leur intérêt et par rapport aussi aux objectifs poursuivis par la Francophonie. Certes, ces pays disposent de leur expertise et de leurs moyens propres qui sont, dans de nombreux cas, assez sévèrement limités.

Au cours de la préparation de cet ouvrage, plusieurs témoignages convergents ont illustré cette réalité, le fait que l'implication de la Francophonie a été d'une grande importance pour la participation de plusieurs de ses membres aux concertations et décisions internationales.

> Grâce à la Francophonie, nous a-t-on dit, nous recevions de la documentation en langue française, alors que d'autres institutions, et notamment la Banque mondiale, le Fonds monétaire international et certaines unités du système onusien s'adressent à nous uniquement en langue anglaise, limitant ainsi notre capacité de comprendre et de maîtriser les enjeux et défis qui nous concernent et de bénéficier des retombées politiques et/ou budgétaires des programmes de ces organisations internationales.
>
> Grâce à la Francophonie, nous étions partie à des réseaux d'information et de recherche, associés à des groupes d'analyse et de propositions, invités aux concertations préalables à la tenue des rencontres internationales. Cet ensemble brisait notre isolement, contribuait à nos prises de décision nationales et enrichissait substantiellement notre participation aux instances internationales[26].

Les domaines de l'énergie, de l'environnement, de l'aménagement urbain, de l'enseignement universitaire et de la recherche, de la diversité culturelle, des technologies de l'information et des communications ont été mentionnés.

---

26. Entretien avec madame Fatimata Dia Touré, directrice, IEPF, 29 octobre 2007.

Présence et visibilité

Ce vaste travail de la Francophonie sur la scène internationale assure une présence et une visibilité à la langue française qu'elle n'aurait certes pas autrement. Il ne s'agit pas ici d'interventions circonstancielles, sans plus ; il s'agit de travaux récurrents inscrits dans la longue durée. Par exemple, 15 ans après le Sommet de la Planète Terre sur l'environnement (Rio de Janeiro, 1992), les conférences des parties des conventions qui en assurent le suivi sont toujours actives, et la Francophonie y est toujours impliquée grâce aux groupes d'experts rassemblés par l'Institut de l'énergie et de l'environnement de la Francophonie. L'institut a joué un rôle similaire pour le suivi de la Conférence mondiale sur le développement durable des petits États insulaires et la réunion internationale de Maurice qui en a fait le bilan en 2004. Il y a assuré la présence des États membres de la Francophonie, et celle de ses experts. Elle y a défendu ses points de vue et le respect de la pluralité linguistique comprenant bien évidemment la langue française. Sans cette présence de la Francophonie à ces tables internationales, l'usage de la langue française y serait minimal, sinon inexistant. Telle est la fécondité du lien entre la politique conduite par la Francophonie et l'affirmation de la langue que les francophones ont en partage.

Il en va de même pour les travaux qui ont précédé et suivi toutes les conférences mondiales qui ont annoncé ou accompagné la mondialisation et éclairé les biens communs de l'humanité : Conférence de Rio (1992), Conférence mondiale sur les droits de l'homme (Vienne, 1993), Conférence mondiale sur le développement durable des petits États insulaires en développement (La Barbade, 1994), Conférence mondiale sur la population et le développement (Le Caire, 1995), Sommet mondial pour le développement social (Copenhague, 1995), Conférence mondiale sur les Femmes : lutte pour l'égalité, le développement et la paix (Beijing,

1995), Conférence des Nations Unies sur les établissements humains : Habitat II (Istanbul, 1996), Sommet mondial du développement durable (Johannesburg, 2002) et Sommet mondial sur la Société de l'Information, tenu à Genève (2003) et à Tunis (2005).

Cette présence de la Francophonie n'est pas le fait d'une « démangeaison » bureaucratique sans limites, comme certains le laissent entendre. Elle a, dans tous les cas, été décidée par les chefs d'État et de gouvernement, réunis en sommets. Elle implique une vraie préparation où sont déterminés les intérêts des uns et des autres et arrêtées les stratégies pour leur inclusion dans les travaux internationaux. Cette préparation inclut normalement des réunions régionales d'analyse et de concertation regroupant représentants des États et des gouvernements membres et ceux de la société civile, suivies d'une conférence ministérielle spécialisée qui arrête la position officielle de la Francophonie. Tel fut le cas notamment pour le Sommet de Rio, qui avait été préparé par la Conférence des ministres francophones chargés de l'environnement tenue à Tunis en 1991 ; pour la Conférence mondiale sur les femmes, préparée par la Conférence des ministres francophones responsables de la condition féminine et réunie à Luxembourg en 1994 ; pour le Sommet mondial sur la société de l'information, préparé par la Conférence des ministres francophones chargés des technologies de l'information réunie à Rabat en 2005[27] ; pour la Convention sur la conservation et la promotion de la diversité des expressions culturelles préparée par la Conférence ministérielle sur la culture réunie à Cotonou en 2001.

Depuis 1990, les pays et gouvernements membres de la Francophonie se sont présentés à ces nombreux sommets mondiaux et devant les organes de leur suivi disposant

---

27. À cette occasion, l'OIF a publié un document en quatre langues : français, anglais, arabe et espagnol, sous le titre *Contribution de la Francophonie au Sommet mondial sur la société de l'information.*

d'un même degré d'information et, dans certains cas, avec de véritables positions communes ou convergentes, des contributions substantielles, des objectifs partagés et des stratégies conséquentes. Dans certains cas, ils ont fait changer les ordres du jour, exigé, seuls ou en coalition avec les représentants d'autres communautés culturelles, le respect de la pluralité linguistique comprenant l'usage de la langue française, proposé et obtenu des modifications aux travaux des plénières et des ateliers, pris leur place dans les équipes d'experts et de rapporteurs et vu à ce que des francophones occupent certaines fonctions politiques stratégiques.

Ainsi, 15 des 24 États membres du Comité intergouvernemental créé à la suite de l'adoption de la Convention sur la diversité des expressions culturelles pour en assurer le suivi sont membres de la communauté francophone. C'est dire que la Francophonie s'est donné les moyens de peser sur la mise en œuvre de la Convention. Ce positionnement stratégique de la Francophonie a été recherché et obtenu dans de nombreuses autres circonstances. Ce faisant, la Francophonie atteint deux objectifs complémentaires, la défense des intérêts de ses membres et l'utilisation de la langue française dans ces hautes sphères de la politique mondiale.

Cette politique de présence ne s'est pas limitée aux conférences mondiales. Elle s'est aussi déployée à l'occasion de nombreuses concertations internationales, dont notamment celle qui a conduit à la création de la Cour pénale internationale et celle qui a précédé la mise en place du Conseil des droits de l'homme des Nations Unies.

Enfin, cette politique de présence a aussi permis de dégager des espaces de coopération sur objectifs avec les Nations Unies et les institutions qu'elle fédère. L'Accord général signé en juin 1997 par les secrétaires généraux des Nations Unies et de l'Agence de coopération culturelle et technique (ACCT) n'a pas cessé depuis d'être enrichi par des mises en convergence des programmes et des interventions des deux organisations. Tel fut et tel est le cas entre la Francophonie et :

- le département du Secrétariat de l'ONU responsable des questions politiques et des questions économiques et sociales et la Division chargée des opérations de maintien de la paix. Soixante pour cent des quelque 90 000 hommes constituant les effectifs de maintien de la paix des Nations Unies à travers le monde sont déployés dans des pays francophones. D'où l'intérêt de l'organisation pour les analyses et propositions de l'OIF sur les situations de conflit que traversent certains de ses États membres et concernant la disponibilité d'effectifs francophones pour ces missions. Cet intérêt n'est pas seulement le fait du Secrétariat général, il est aussi celui du Conseil de sécurité qui a invité les responsables francophones à en débattre avec et dans cette plus haute instance ;
- le Fonds des Nations Unies pour l'enfance (UNICEF), le Programme des Nations Unies pour le développement (PNUD) et l'UNESCO ;
- le Haut Commissariat aux droits de l'homme et les institutions onusiennes qui l'ont précédé. Dans ce cas, la coopération a été récemment enrichie par un nouvel accord portant les signatures de Louise Arbour et d'Abdou Diouf, accord qui recommande près de 50 actions communes devant être mises en œuvre dans les 2 prochaines années[28].

Certains disent que ce n'est pas assez et que, malgré ces efforts, la langue française régresse au sein des organisations internationales. Leur constat n'est pas sans fondement. Mais il leur reste à formuler des propositions de rechange et à imaginer ce que serait l'état des lieux sans cette présence continue et active de la Francophonie sur la scène internationale.

---

28. Relevé de conclusions sur le renforcement de la coopération entre l'OIF et le HCDH, Genève, 25 septembre 2007. Voir aussi la feuille de route de la coopération entre le Haut-Commissariat des Nations Unies aux droits de l'homme et l'Organisation internationale de la Francophonie.

Pour conduire cette politique de présence, la Francophonie dispose des relais suivants :

- ressources du Secrétariat général de l'Organisation internationale de la Francophonie, installé à Paris depuis 1970 ;
- liaisons dans chacun de ses États membres : commission ou correspondants nationaux, représentants personnels des chefs d'État et de gouvernement, ministère responsable de la Francophonie, normalement le ministère des Affaires étrangères et/ou de la Francophonie, auxquels s'ajoutent les experts et les responsables des ONG représentant la société civile ;
- bureaux de liaison à Genève (1991), à New York (1995) auprès de l'Organisation des Nations Unies, à Bruxelles (1995) auprès de l'Union européenne et à Addis-Abeba (1999) auprès de l'Union africaine ;
- bureaux régionaux à Lomé (1983) pour l'Afrique de l'Ouest, à Libreville (1992) pour l'Afrique centrale, à Hanoi (1994) pour la région Asie-Pacifique et Institut de l'environnement et de l'énergie de la Francophonie à Québec (1988) ;
- groupe des ambassadeurs des pays francophones auprès de l'ONU à New York, Genève et Rome, auprès aussi de l'Union européenne à Bruxelles, de l'Union africaine à Addis-Abeba et du Conseil de l'Europe à Strasbourg. Ces assemblées permettent la concertation régulière entre ces diplomates francophones, l'examen des calendriers de travail, des ordres du jour et des candidatures, relaient les points de vue de la Francophonie et insistent sur le respect de la langue française ;
- rencontre annuelle des ministres des Affaires étrangères des pays membres de la Francophonie et du secrétaire général de la Francophonie avant l'ouverture de l'assemblée générale des Nations Unies. Organisée à l'initiative de la France, cette rencontre annuelle participe à cette recherche de présence, de cohérence et d'influence de la communauté francophone au plan international ;
- fait sans précédent, à l'automne 2005, les chefs d'État et de gouvernement membres de la Francophonie se sont réunis à New York en marge du Sommet du millénaire des Nations Unies.

Comment mesurer les effets de l'immense opération que nous venons de recenser ?

Par le nombre de pays qui, avec l'appui de la Francophonie, ont adopté la démocratie, le pluralisme politique, la séparation des pouvoirs et la liberté d'expression ? Par le nombre de pays qui ont bénéficié de son conseil, de ses réseaux, de ses interventions pour sortir des crises qui les affectaient si dramatiquement et amorcer leur reconstruction ? Par le développement des institutions qui donnent leur plein effet aux droits civils et politiques : assemblées parlementaires, cours de justice, protecteurs des citoyens et commissions de promotion et de protection des droits humains ? Par la liberté de réunion et d'intervention des citoyens rassemblés dans des ONG ?

Que ces questions puissent être posées témoigne d'une progression certaine de la culture démocratique dans l'espace francophone. Certes, ce qui reste à accomplir est considérable et urgent. Mais le mouvement lancé à Dakar en 1989 a indiscutablement contribué à l'affirmation et à l'expansion de la liberté humaine pour un grand nombre et nourri l'espérance de ceux qui, encore trop nombreux, en sont privés.

CHAPITRE SEPTIÈME

De la langue française

La promotion de la langue française et de la diversité culturelle et linguistique est, depuis ses origines, l'un des objectifs majeurs de la Francophonie. Comme démontré précédemment, cette politique a été réaffirmée et renforcée par la Charte de la Francophonie de 2005. « La langue française, peut-on y lire, constitue aujourd'hui un précieux héritage commun qui fonde le socle de la Francophonie. » Dans son plan stratégique, la promotion de la langue française et de la diversité culturelle est l'un des quatre objectifs reconnus par la communauté. Que fait la Francophonie pour mettre en œuvre ce choix premier ?

En faisant de la reconnaissance du plurilinguisme l'un de ses combats principaux, la Francophonie a créé les conditions d'une action décisive en faveur de la langue française définie comme le socle de la communauté qu'elle rassemble. Impératif, ce choix s'imposait pour de nombreux motifs. D'abord, la réalité de la pluralité linguistique dans la communauté francophone elle-même, le besoin d'alliance avec d'autres communautés soucieuses, elles aussi, d'infléchir la géolinguistique dominante, et enfin, la prise en compte et le respect du patrimoine linguistique de la famille humaine, dont la langue française est une composante. De cette position de principe découlent deux refus convergents : celui d'une partition hiérarchisée des rôles et des fonctions des langues et celui de la perte de fonctionnalité des langues.

Concurrence et cohabitation

La bataille des langues est aujourd'hui une donnée immédiate de la vie internationale. Elle mobilise gouvernements, institutions, associations de toute nature et draine des ressources considérables. De nouvelles ambitions culturelles et linguistiques sont affirmées, celles de la Chine, de l'Inde et de la Russie précédemment évoquées et celles, plus anciennes, de l'Allemagne moins spectaculaire apparemment mais néanmoins réelle, de l'Espagne et de la communauté ibéro-américaine portées par une forte croissance jusqu'au cœur des États-Unis d'Amérique, qui pourraient compter 60 millions de locuteurs de la langue espagnole dans 20 ans, celles du Portugal et de la communauté des pays lusophones fortifiées par le Brésil, première puissance de l'autre Amérique soucieuse du statut et du rayonnement effectif de sa langue dans la partie sud de l'hémisphère américain. Enfin, la langue anglaise occupe l'espace que l'on sait et est toujours soutenue par une solide coalition de fait qui, depuis plus d'un siècle, investit considérablement dans son expansion aux quatre coins du monde.

La Chine rêve d'une seconde *lingua franca* à l'échelle du monde ; l'Allemagne et l'Autriche rêvent d'une Europe qui reconnaîtrait enfin la langue allemande comme la première langue parlée du continent ; l'Espagne n'a pas besoin de rêver tant sa langue semble assurée de devenir l'une des grandes langues de ce siècle. Cependant, même dans un contexte plus que favorable, elle poursuit une vigoureuse politique de promotion de sa langue, et notamment en Asie.

La bataille pour le statut international des langues est fortement engagée comme un élément majeur «de la prétention à occuper une position de puissance[1]» dans la communauté des nations. Aussi, pour les bénéfices divers qui découlent de ce statut : avantages dans les négociations politiques et diplomatiques, dans le commerce des produits culturels, linguistiques, scientifiques, technologiques et de services, dans l'exportation des systèmes et le rendement de larges réseaux pour la recherche et le développement. Dans cette lutte planétaire, l'idée et la réalité de communautés culturelles et linguistiques, celles aussi de diasporas actives, constituent des leviers majeurs, des leviers indispensables. Ils font émerger une espèce de citoyenneté transnationale qui crée les conditions d'une affirmation linguistique sans frontière. La concurrence annoncée pourrait-elle conduire à une cohabitation harmonieuse entre les cultures et les langues du monde ?

La Francophonie est engagée fortement dans cette lutte planétaire. Elle ne dissimule pas son ambition pour la langue française et sa volonté de lui conserver un statut de langue internationale. Mais elle l'inscrit dans une vision inclusive de la diversité culturelle et linguistique de la famille humaine. Selon cette philosophie, chaque héritage dans ces domaines trouve dans la reconnaissance des autres la considération qu'il recherche pour lui-même.

Cette position constitue un acte politique majeur posé par la Francophonie, une option radicale récusant toute forme de domination linguistique y compris la sienne, une façon réaliste de se situer «dans la mondialisation et non face à la mondialisation», selon l'heureuse expression d'Hubert Védrine utilisée dans un autre contexte[2]. À l'intérieur de ces paramètres, le positionnement des uns et des autres est inscrit dans une compétition redoutable. La

---

1. Jean-François de Raymond, *L'action culturelle extérieure de la France*, Paris, La documentation française, 2000, p. 27.
2. Hubert Védrine, *op. cit.*, p. 27.

reconnaissance de la pluralité linguistique se conjugue en effet à une concurrence qui déborde largement la seule marée anglo-saxonne, tant les ambitions affirmées dans ce domaine sont réelles et agissantes.

L'universalité

Suivant les références retenues, la langue française est parlée par 200 millions de personnes selon les calculs du Haut Conseil de la Francophonie[3], par 250 millions «comme première ou seconde langue», selon Jacques Attali[4], par 300 millions selon le diplomate français Jean-François de Raymond. Elle appartient toujours à la liste des 10 langues les plus parlées dans le monde. Comme le démontre la géographie physique de la communauté, cette dernière encercle la planète et, en conséquence, la langue française est parlée et enseignée sur tous les continents. À ces caractéristiques s'ajoute son statut de langue officielle dans près de 30 pays, dans 3 institutions continentales majeures, l'Union européenne, l'Union africaine, l'Organisation des États américains et au sein de l'Organisation des Nations Unies. Ce caractère universel de la langue française doit être affirmé sans superbe, mis en œuvre et enrichi en permanence. Tout recul signifie l'avancée de l'autre dans ce temps de haute compétition culturelle et linguistique.

Cette responsabilité est d'abord celle des États et gouvernements membres. C'est à eux qu'incombe en priorité une obligation de cohérence entre leur pratique nationale, les engagements pris aux tables de la Francophonie et leur comportement dans les organisations internationales. Les représentants d'un pays membre de la communauté devraient normalement utiliser la langue française dans leurs communications officielles quand ils n'utilisent pas leur langue nationale. On attend aussi des représentants

3. OIF, *La Francophonie dans le monde – 2006-2007, op. cit.*, p. 20.
4. Jacques Attali, *op. cit.*, p. 398.

des États et gouvernements membres de la communauté francophone qu'ils soient particulièrement attentifs à l'ensemble des questions que pose le respect de la diversité culturelle et linguistique, ainsi qu'à l'ensemble des questions et des décisions, y compris budgétaires.

La mission et les fonctions de l'OIF sont complémentaires à celles dévolues aux États et gouvernements membres de la communauté francophone. Aucun d'eux ne peut prétendre représenter toute la communauté, accomplir pour elle des fonctions de veille, construire des partenariats, tisser des réseaux et défendre les intérêts culturels et linguistiques convergents de ses membres. Tel est, pour l'essentiel, le mandat des Bureaux de liaison de la Francophonie auprès des Nations Unies à New York et à Genève, auprès de l'Union africaine à Addis Abeba et de l'Union européenne à Bruxelles. Telles sont aussi les tâches accomplies par le groupe des ambassadeurs francophones rassemblés à l'initiative de l'OIF dans ces villes et plusieurs autres. Certains de ces groupes d'ambassadeurs ont poussé loin leur concertation et n'hésitent pas à se manifester comme des fiduciaires de la communauté francophone. Tel fut le cas notamment dans la recherche d'appui pour la Convention sur la diversité des expressions culturelles. À New York et Genève, le groupe des ambassadeurs francophones a été actif et efficace dans ce cas et aussi dans la préparation, la négociation et l'acceptation de la résolution de l'Assemblée générale en faveur du plurilinguisme et du respect des langues officielles.

La désignation par le secrétaire général de représentants spéciaux et de grands témoins, notamment pour veiller au maintien du statut de la langue française à l'occasion d'événements à caractère international tels les Jeux olympiques, participe de la même logique d'affirmation[5]. Ces

---

5. Hervé Bourges, Athènes (2004), Lise Bissonnette, Turin (2006) et Jean-Pierre Raffarin, Beijing (2008).

missions permettent de sortir d'une logique de condamnation à distance, d'examiner dans le détail l'état des lieux, d'observer le comportement des représentants des États francophones et de formuler, si nécessaire, des propositions de réforme. Ainsi, le rapport de Lise Bissonnette sur *La place et l'usage de la langue française aux Jeux olympiques d'hiver de Turin*[6] dresse un inventaire exhaustif de l'usage des langues par le Comité international olympique et propose, devant une situation devenue « préoccupante », des mesures susceptibles de changer ce qui doit l'être dans « un des terreaux les plus favorables à un redressement linguistique ». La signature, le 26 novembre 2007, de la Convention pour la promotion de la langue française au cours des XXIe Jeux olympiques par le président du Comité international olympique, Jacques Rogge, et le secrétaire général de la Francophonie, Abdou Diouf, constitue une première. On en verra ou non les prolongements à Beijing.

L'universalité de la langue française n'est pas donnée. Certes, cette langue dispose d'assises dont l'importance est certaine. Cependant, dans la nouvelle configuration culturelle et linguistique mondiale, ces assises doivent être consolidées, enrichies et affirmées. Tel est le sens de la diplomatie conduite par l'OIF, l'intérêt aussi de la participation de la communauté francophone aux débats mondiaux, la portée enfin de ses contributions et réussites à ce niveau.

Ces travaux et ces succès ont été rendus possibles grâce à la mobilisation des États, gouvernements et autres acteurs de la Francophonie et de leurs alliés, dont notamment l'Assemblée parlementaire de la Francophonie. Dans le cas de la convention sur la diversité culturelle, ils ont bénéficié du travail convergent des groupes des ambassadeurs francophones à l'UNESCO, à l'OMC, à l'Organisation des Nations Unies et à l'Office des Nations Unies à Genève

---

6. Lise Bissonnette, *La place et l'usage de la langue française aux Jeux olympiques d'hiver de Turin*, OIF, 2006.

et des interventions répétées des 33 coalitions réunies au sein du Réseau international pour les politiques culturelles (RIPC). Enfin, instauré en 1999 à l'initiative de la Francophonie, le dialogue avec les autres espaces linguistiques – anglophone, hispanophone, lusophone et arabophone – concourt à cette présence, influence et visibilité de la Francophonie et de la langue française. Les récentes rencontres de leurs plus hauts responsables ont produit des résultats étonnants, dont un programme d'actions conjointes dans le domaine de la langue, de l'aide aux filières d'industries culturelles et d'interventions communes sur la scène internationale.

30 000 fonctionnaires européens

Moins connues, d'autres initiatives prises par la Francophonie en soutien à la promotion de la langue française méritent une mention même brève:

- plan pluriannuel pour le français dans l'Union européenne pour la formation «au et en français» qui a profité à 30 000 fonctionnaires européens tant dans les représentations permanentes et les missions auprès de l'Union européenne à Bruxelles que dans les administrations nationales;
- accords-cadres pour l'enseignement du français, signés par l'OIF avec les écoles nationales d'administration publique de Bucarest, Varsovie et Sofia, l'Institut diplomatique de Zagreb, le Collège d'Europe de Bruges et l'Institut européen de Maastricht;
- appui donné à six organisations africaines, continentales et régionales pour le renforcement de l'utilisation de la langue française: services de traduction, y compris la mise à disposition de logiciels de traduction, de documentation et d'apprentissage de la langue en plus de stages en immersion dans des pays francophones et anglophones du continent. Dans ce dernier cas, des stages en immersion sont organisés annuellement en Afrique de l'Ouest, en Afrique de l'Est et en Afrique australe et d'autres sont offerts aux

responsables d'institutions comme ce fut le cas en 2007 pour 40 fonctionnaires de la Commission économique des Nations Unies pour l'Afrique et aussi pour des diplomates africains de pays anglophones ou lusophones.

75 millions de téléspectateurs

De toutes les initiatives prises par la Francophonie, la création et le développement de TV5Monde constituent celle qui a manifestement le plus contribué à illustrer son ambition mondiale pour la langue française.

Présent sur tous les continents, TV5 appartient au club restreint des grands réseaux mondiaux de télévision, devant CNN International, BBC World et derrière MTV. Son signal est repris par 6 000 réseaux câblés et maintenant par ADSL (liaison numérique à débit asymétrique). Entre 2002 et 2008, son audience a doublé, de 35 à 75 millions de téléspectateurs. Elle est aujourd'hui reçue dans 203 pays et territoires, par près de 200 millions de foyers, soit 750 millions de personnes, 24 heures sur 24[7].

En quelques brèves années, TV5 a créé un programme par zone géographique – Amérique, Europe, Afrique, Asie et Moyen-Orient – et le deuxième circuit de distribution au monde. Son site Internet www.tv5.org a connu une progression de 128 % entre mai 2005 et mai 2007 et accueille 2 millions de visiteurs uniques pour un total de 5 millions de visites chaque mois. De plus, ce sont 2 millions de vidéos qui y sont consultées depuis 212 pays et 30 millions de pages qui y sont vues chaque mois. La chaîne propose 10 langues de sous-titrage selon les réseaux[8]. Son budget représente une fraction faible (1/25) du chiffre d'affaires des grandes chaînes anglophones.

---

7. *Rapport d'étape 2007*, TV5Monde, Confidentiel (20/09/07).
8. *Ibid.*; ces langues sont l'anglais, le portugais « brésilien », l'espagnol « latino », l'allemand, le suédois, le russe, le danois, le néerlandais, l'arabe, option français.

Au moment de la rédaction de cet ouvrage, la chaîne multilatérale francophone est l'objet des convoitises du holding France Monde, centre « d'un pilotage unique permettant de mettre en commun le meilleur de chaque média » que sont France 24, Radio France Internationale et TV5Monde, selon l'expression de Bernard Kouchner, ministre français des Affaires étrangères et européennes[9].

Compte tenu des expériences françaises dans le passé et du style et du ton de France 24, et ce qu'elle a choisi de montrer, compte tenu aussi des interférences politiques qui ont fait varier certaines de ses orientations concernant notamment son rapport au plurilinguisme, certains ont déjà mis une croix sur l'avenir de TV5Monde si elle devait être intégrée au holding français et sur l'avenir de la présence audiovisuelle en langue française au niveau mondial. Pour eux, il s'agit d'un véritable *hold-up* de la France sur l'une des plus évidentes réussites de la Francophonie. L'important est ailleurs.

Au sein du holding France Monde, TV5Monde conservera-t-elle « une identité consolidée[10] » ? Disposera-t-elle d'une forme de souveraineté-association qui en garantisse la spécificité comme chaîne exprimant la diversité même de la communauté francophone, à côté d'une autre chaîne exprimant l'identité spécifique de la France ? Sera-t-elle la partie faible, voire résiduelle, de l'offre du holding France Monde ? Dans la durée, existera-t-elle avec une offre éditoriale et des contenus de qualité et quels seront ses atouts dans l'univers numérique ?

En ce moment même, les discussions entre les partenaires de TV5 sont en cours, concernant notamment les réseaux de commercialisation, les synergies possibles entre la rédaction de TV5Monde et celle de France 24,

---

9. Bernard Kouchner, « Narration du monde, une bataille décisive : pour diffuser son message, la France doit mutualiser tous ses moyens de communication audiovisuels », *Le Monde*, 4 décembre 2007, p. 21.
10. *Ibid.*

la mise en commun des fonctions de recherche et développement, l'optimisation de l'interactivité et le cadre juridique souhaitable. La négociation porte aussi sur les missions spécifiques de TV5Monde et de France 24, la première comme « expression plurielle faisant connaître et partager la diversité des cultures et des points de vue » de la communauté francophone, mission résumée dans le slogan, UNE LANGUE, DES VOIX ; la seconde « apportant le regard et la sensibilité de la France sur l'actualité mondiale ».

De toute évidence, la France a tiré avantage de la frilosité des partenaires, notamment sur le plan du financement, et il est difficile de lui en faire reproche. Elle a fait de TV5 une chaîne d'abord française, TV5 Québec Canada s'est constituée en un établissement indépendant et l'Afrique francophone s'est retirée pour l'essentiel d'une entreprise qui l'avait initialement beaucoup intéressée.

Comment sortir TV5Monde de cette impasse qui, aujourd'hui, au-delà des déclarations de circonstance, divise la communauté francophone et éloigne certains de ses membres d'une entreprise aussi unique et indispensable ? Comment, à nouveau, faire ensemble et faire pour tous ?

L'original ou la copie

L'enjeu est majeur. À l'ère du tout numérique et du tout accessible à l'échelle de la planète, la production télévisuelle en langue française a et aura besoin de l'apport constant de tous les bassins de production en langue française en Europe, en Afrique et en Amérique. À quoi serviraient en effet les chaînes télévisuelles françaises et francophones internationales si leurs grilles horaires étaient remplies de productions américaines traduites en français ? Qui ultimement ne préférerait pas l'original à la copie ? Et de quelle offre serons-nous capables, à l'heure de la vidéo sur demande, si la production francophone devait rester ce qu'elle est, sans plus ? Les questions que pose une offre démultipliée de programmes et l'abondance actuelle et à venir des nouveaux services interactifs sont devenues incontournables. Comme le sont aussi celles posées par la diversification de l'offre si l'on veut intéresser les francophones de tous les espaces géographiques et, au-delà de ces auditoires prévisibles, les francophiles et les autres où qu'ils soient dans le monde.

Aucun pays francophone ne peut relever seul, dans la longue durée, ce formidable défi. La question de la diversification de l'offre n'est pas propre à l'espace francophone. Elle est aujourd'hui universelle. Elle explique notamment pourquoi la quasi-totalité des grands studios américains arrêtent des partenariats de production et de coproduction avec des producteurs partout dans le monde et notamment avec les producteurs indiens. Il serait absurde que TV5Monde, qui incarne cette diversification et a été créé pour la montrer et la faire vivre, soit, à terme, incapable ou rendu incapable de relever ce formidable défi qui traduit l'une des attentes les plus fortes créées par la mondialisation.

L'ambition et la nécessité qu'incarne TV5 ne sauraient être que françaises ou ne représenter que les vues des pays du Nord dans la Francophonie : la France, le Canada, le Québec, la Suisse et la communauté française de Belgique. Elles ne seront l'une et l'autre, cette ambition et cette nécessité, pleinement réalisées que si ce cercle est agrandi pour inclure progressivement une offre africaine conséquente, du nord et du sud du continent, d'autant que dans certains des pays de ces régions, la production s'est qualitativement améliorée. La relation télévisuelle entre les pays francophones ne peut se penser dans la durée comme une relation unilatérale de diffusion de quelques-uns vers tous les autres. Les technologies offrant désormais un accès multilingue et les nouvelles générations parlant les langues étrangères, pourquoi donc les produits des pays francophones du Nord auraient-ils la préférence des francophones du Sud ? À moins qu'ils soient partie d'une offre inclusive faisant sa place à la réciprocité, à la pluralité des formes d'expression, aux regards croisés, au métissage, à la coproduction, à un système commun de références, de présence des uns et des autres.

Tel est déjà le profil du monde, et cette pluralité ne cessera de progresser, d'innerver la communication à l'échelle de la planète et d'occuper le marché mondial de l'audiovisuel, dont la croissance continue (12 % par année depuis 10 ans) en fait l'un des secteurs majeurs de l'économie mondiale. L'objectif culturel est ici inséparable de l'objectif économique.

La Francophonie est riche de cette diversité. Elle est cette diversité. Elle n'existe pas et n'existera pas sans sa pleine acceptation traduite dans des projets d'envergure.

TV5 est le véhicule et le symbole virtuels de cette vision.

Cette dernière ne vient pas contredire la volonté de la France de disposer de ses propres outils de rayonnement télévisuel à l'échelle internationale. Bien au contraire, elle représente autre chose qui constitue comme une seconde affirmation. En effet, elle offre à la France dans la communauté francophone et au monde une autre chance de se réunir en français à partir d'imaginaires, de perspectives et d'intérêts qui montrent la riche diversité de la Francophonie et illustrent le caractère international de la langue française, qui montrent aussi la réalité du monde et illustrent le plurilinguisme qui en est inséparable.

Notons enfin que « l'ensemble des actions de TV5Monde en faveur de la langue française en fait la plus grande classe de français du monde », selon une formule certes vendeuse mais assez juste de la maison.

La Chine est aujourd'hui à l'œuvre en Afrique francophone dans le domaine de l'audiovisuel en langue française. Elle y modernise les installations de production avec ses technologies, forme des techniciens, diffuse sa chaîne télévisuelle en langue française du consortium China Corporation Television (CCTV), qui fait sa place aux réalités du continent et aux spécialistes africains qu'elle y accueille en permanence.

Combien de divisions?

La bataille des langues sera ultimement gagnée par ceux qui auront fait des gains quantitatifs et qualitatifs réels, s'agissant de l'apprentissage de leur langue dans ses espaces naturels et, au-delà, dans le monde. Dans ce domaine, tous les montages institutionnels et culturels et toutes les requêtes politiques seront en effet, en dernier lieu, mesurés à la même jauge: combien de divisions?

Que fait donc la Francophonie et que font les francophones pour conforter et développer l'apprentissage et l'usage de la langue française[11]?

Comme établi précédemment, la langue française est l'une des rares langues, avec la langue anglaise, à servir de langue d'usage sur plusieurs continents. Elle est toujours une langue étrangère enseignée dans une majorité des pays du monde, bien que la compétition à cet égard se soit fortement accrue ces dernières années. Elle dispose d'un statut de langue officielle et de langue de travail dans les organisations internationales et dans un nombre conséquent d'institutions continentales ou régionales. Plus d'un

---

11. L'apport des coopérations bilatérales pour conforter et développer l'usage de la langue française et notamment celui de la France n'est pas évoqué ici à moins qu'il se conjugue à celui de la Francophonie. Son importance n'est pas en cause. Mais elle appartient à une autre perspective et répond, en partie du moins, à une autre logique, ce qui ne diminue en rien sa portée. Il contribue notamment à l'enseignement de la langue française hors l'espace francophone, ce que la Francophonie fait très peu à l'exception de l'AUF, faute de moyens sans doute. Voir l'important ouvrage de Jean-François de Raymond, *L'action culturelle extérieure de la France*, Paris, La documentation française, 2000. On y trouve notamment un inventaire quantitatif et subtilement qualitatif de la politique de promotion de la langue française, «base de l'action culturelle de la France».

pays sur trois dans le monde appartient à l'OIF et la moitié d'entre eux ont le français comme langue officielle.

Ce positionnement est impressionnant. Il ne doit pas cependant faire illusion. La bataille des langues est engagée. Pour la première fois dans l'histoire de l'humanité, elle est conduite avec de grands moyens financiers, politiques et technologiques par un nombre plus grand que jamais de puissances ou de coalitions d'États. Elle constitue une bataille d'un *nouveau type* et son caractère est universel.

Concernant la place actuelle de la langue française dans cette bataille des langues, Jean-François de Raymond a résumé la situation comme suit:

> Le nombre des francophones et des personnes apprenant le français a augmenté en valeur absolue durant les quinze dernières années du XXe siècle. Quantitativement, la langue française ne s'est même jamais aussi bien portée. Toutefois, en proportion, la part des francophones a eu tendance à diminuer par rapport à l'augmentation de la population mondiale. Si le nombre des étudiants en français hors de France a augmenté en valeur absolue, le nombre total des étudiants augmentait dans le même temps de 150 millions, ce qui marque une baisse relative des effectifs des étudiants de français, dont le rapport s'établit désormais à environ six étudiants sur cent[12].

Selon les estimations des rédacteurs du Rapport sur la Francophonie dans le monde pour 2006-2007, le nombre d'apprenants du et en français totalisait 90 749 813 en 2002, en progression de 20,45% par rapport à 1994, progression qui s'est déployée quasi exclusivement sur le continent africain alors que, dans toutes les autres grandes régions du monde, on enregistrait des baisses[13]. Concernant le nombre d'enfants scolarisés, l'évolution du nombre

---

12. *Ibid.*, p. 63.
13. OIF, *La Francophonie dans le monde – 2006-2007, op. cit.*, p. 24s.

d'apprenants du et en français entre 1994 et 2002 est
«défavorable, sauf en Afrique subsaharienne et dans
l'océan Indien... où l'évolution est tout juste positive...».
Et ce constat plus qu'inquiétant: «La progression des
effectifs dans le second degré et dans le supérieur a profité
très nettement à l'anglais dans les pays francophones[14].»

Le contenu des chapitres précédents fait état d'une forte
activité de mobilisation, de sensibilisation et d'interventions qui confortent indiscutablement l'usage de la langue
française au sein de la communauté francophone et dans
la communauté internationale. Ces activités ne constituent pas des pièces rapportées du projet francophone. La
mesure peut-être la plus significative de cette vaste et
impressionnante opération se trouve probablement dans
la contribution de milliers, voire de dizaines de milliers
de personnes dans les pays membres de la communauté
francophone, dans les administrations nationales, les
cours de justice, les rassemblements de parlementaires, les
responsables des villes, des universités et grandes écoles,
les réseaux télévisuels et radiophoniques, les milieux de
l'éducation, de la culture, de l'édition, de la presse écrite,
les institutions régionales et internationales, les associations professionnelles, les ONG et les OING, qui apportent
leur concours à cette offre de coopération. Cette offre
serait absolument inopérante sans eux. Ce n'est pas dimi-
nuer le mérite de l'OIF et de ses opérateurs que d'affirmer
que ces innombrables contributions font de la Francophonie
un projet qui déborde immensément les personnalités
et les administrations qui sont chargées de son déploiement et dont les travaux seraient limités sans cette
mise en commun d'efforts convergents consentis par une
multitude.

---

14. *Ibid.*, p. 29.

340 centres de lecture

Ces contributions sont particulièrement précieuses dans la coopération venant en appui à la langue française, à son usage et à son expansion. Cette coopération mobilise les ressources des États membres et de l'OIF. Ainsi, la création de 340 centres de lecture et d'animation culturelle, les fameux CLAC, dans 17 pays a été rendue possible par des investissements complémentaires des gouvernements de ces pays et de l'organisation. Véritable maison de la culture francophone, ces centres ont été fréquentés par plus de trois millions de personnes en 2007.

Cette méthode rend possible un grand nombre d'initiatives dont l'ensemble conforte la langue française et son usage :

– mise en convergence des institutions nationales linguistiques au sein du réseau international de néologie et de terminologie (RINT) pour la normalisation de la langue ;
– développement des centres régionaux spécialisés pour la formation des professeurs de français, en Bulgarie pour l'Europe de l'Est, à Madagascar pour la région de l'océan Indien et au Vietnam pour l'Asie Pacifique ;
– développement des centres spécialisés dans la formation des professeurs de français langue étrangère, au Bénin, au Ghana, au Togo et au Nigeria pour les besoins de l'Afrique anglophone et lusophone ;
– soutien au projet pilote de formation continue à distance pour renforcer les connaissances et les compétences des enseignants du primaire en langue française. Expérimenté au Bénin, au Burundi, en Haïti et à Madagascar, ce projet devrait être étendu à l'ensemble de la Francophonie, et encore plus largement lors du Sommet de Québec, et devenir un programme majeur de la communauté tant il répond à d'évidentes nécessités dans l'espace francophone et dans le monde ;
– appui aux programmes arrêtés par la Conférence des ministres de l'Éducation.

Tous les opérateurs de l'OIF concourent à cette offre visant à conforter et à enrichir l'usage de la langue française.

TV5 a produit des contenus pédagogiques multimédias *Apprendre et Enseigner avec TV5Monde*, accessibles sur son site www.tv5.org. Avec l'AUF, la télévision mondiale réalise l'émission *7 jours sur la Planète*, financée largement par l'OIF. Véritable outil pédagogique basé sur l'actualité internationale, les contenus de cette émission sont utilisés par des milliers d'enseignants et d'étudiants de la langue française à travers le monde.

L'Agence universitaire francophone préside à une gamme d'interventions d'importance reliées spécifiquement à la langue française :

- appui à six grands réseaux internationaux de chercheurs dédiés à l'étude du français en francophonie, à la dynamique des langues en francophonie, à la recherche lexicologique, terminologique et à la traduction, à la littérature francophone d'Afrique et de l'océan Indien et à la littérature pour enfants ;
- soutien aux départements universitaires dédiés à l'enseignement du français et mise à disposition de bulletins d'information et de liaison et des listes de discussion ;
- programmes spécialisés de mise à niveau des étudiants universitaires dans trois régions du monde : les Caraïbes, l'Asie du Sud-Est et le Moyen-Orient ;
- projet pilote d'enseignement à distance évoqué précédemment, projet qui doit être étendu à tous les membres de la Francophonie et, à terme, à l'ensemble des pays du monde ;
- vaste initiative de soutien en français aux technologies de l'information et des communications ;
- accès à la meilleure recherche produite en français, à travers ses portails et ses sites, les revues électroniques qu'elle soutient et ses autres publications ;
- animation en français de 14 réseaux institutionnels spécialisés selon les grandes disciplines du savoir, de 41 centres d'excellence et d'importantes conférences régionales de Recteurs en Afrique, en Asie du Sud-Est, dans les Caraïbes, en Europe centrale et orientale et au Moyen-Orient.

70 000 membres

Dans cet ensemble d'intervenants en soutien à l'expansion de l'usage de la langue française, la Fédération internationale des professeurs de français, qui représente plus de 70 000 membres regroupés dans 165 associations et répartis dans 128 pays, occupe une place prépondérante. Disposant de commissions continentales et de chapitres nationaux et régionaux, cette fédération a mis en place un site Internet (www.franc-parler.org) qui propose des outils pédagogiques et des réseaux de partage d'expériences et d'initiatives. Elle publie le bimestriel *Le Français dans le monde*, lequel est une formidable source d'information géolinguistique et *Francophonie du Sud* préparée spécialement à l'intention des professeurs de français dans l'espace francophone sur financement à parité de la France et de l'OIF. Elle tient des colloques nationaux, de grandes rencontres régionales et un congrès mondial tous les quatre ans dont le rayonnement est considérable. L'apport de cette grande fédération doit être reconnu pour ce qu'il est, soit celui de l'un des trois grands réseaux à dimension mondiale de la Francophonie, à côté de TV5 et de l'AUF. Compte tenu de sa dimension universelle et de la centralité de sa mission, l'Association devrait normalement être reconnue comme un acteur principal et un partenaire privilégié de la Francophonie.

L'espace numérique

Aujourd'hui, la présence au monde et dans le monde se manifeste de plus en plus par une existence construite, systémique et interactive dans l'espace numérique mondial. Tel qu'il a été constaté en analysant les activités des uns et des autres, cette forme renouvelée de communication, d'accès au savoir, de recherche, de moyens d'apprentissage, de sources d'information, de pratique des loisirs

et d'activités économiques a pénétré peu à peu la francophonie, notamment à la suite de la Conférence des ministres chargés des inforoutes tenue à Montréal en 1992. Mais
cette pénétration est toujours très inégale, c'est le moins
qu'on puisse dire, d'une région de la francophonie à l'autre.
Le niveau d'accès à Internet en Amérique est de 68,6 %, de
36,4 % en Europe et de 2,6 % en Afrique. « Aujourd'hui,
rapporte Guy-Olivier Segond, plus de 75 % des utilisateurs
de l'Internet sont concentrés dans la partie du monde qui
compte 15 % des habitants de la planète. Autrement dit,
plus de 80 % des êtres humains n'ont pas accès, par des
moyens modernes, aux informations, aux connaissances
et aux savoirs accumulés par l'humanité[15]. »

Cet écart est intolérable. Il l'est d'abord pour ceux qui
en sont les victimes et dont les chances d'« accès à la
modernité », pour reprendre une expression chère à la
Francophonie, sont dramatiquement limitées. Il l'est aussi
pour la Francophonie elle-même. En effet, cette dernière
ne pourra, si les choses devaient rester en l'état, assurer
sa présence au monde et dans le monde et soutenir, dans
l'espace numérique mondial, une présence quantitative-
ment et qualitativement suffisante de la langue française.
La Francophonie a un urgent besoin de toutes ses composantes. De façon claire, elle a besoin de l'Afrique francophone.

L'OIF et ses opérateurs ont dédié une partie de leurs
ressources pour offrir des services dans cet univers virtuel
où circulent plus d'un milliard d'internautes.

L'OIF a créé, en 1998, l'Institut des nouvelles technologies de l'information et de la communication (INTIF),
devenu depuis l'Institut de la Francophonie numérique
(IFN). Mises à part certaines formations offertes dans une
quinzaine de pays africains, l'IFN a surtout exercé des

---

15. Guy-Olivier Segond, « De la fracture numérique à la solidarité
numérique : un succès de la Francophonie », contribution à *La Francophonie dans le monde – 2006-2007, op. cit.*, p. 202.

fonctions de concertation entre les partenaires francophones et ainsi «contribué à l'élaboration multilatérale
d'une stratégie de présence numérique des savoirs et des
œuvres de création des communautés francophones sur la
toile, particulièrement celles des pays du Sud[16]». L'Institut
a de plus assuré la présence de la Francophonie au sein
des groupes internationaux sur la gouvernance d'Internet[17]
où sont définies les normes mondiales par des instances
dominées par les Américains. L'Institut a conduit diverses
activités en préparation et à l'occasion de la tenue du
Sommet mondial de la société de l'information à Genève
et à Tunis, concernant aussi la mise en œuvre du plan
d'action arrêté à cette occasion. Enfin, il a assuré la gestion
du Fonds francophone des inforoutes. Ce dernier vient en
appui financier à des projets de contenus et d'application
en langue française, sites Internet ou produits multimédias. Modestes, les ressources de ce fonds doivent être
enrichies substantiellement, compte tenu de la demande
de qualité provenant du Sud de la communauté et de
l'importance primordiale du domaine.

41 campus numériques

Pour sa part, l'AUF a investi le domaine avec vigueur. Elle
a créé 40 plateformes technologiques, 41 campus numériques et centres d'accès à l'information. Elle propose
48 formations à distance incluant une offre dédiée aux
nouvelles technologies éducatives et toute une gamme
de formation aux et par les technologies de l'information
et de la communication. Elle soutient la création de nombreuses revues électroniques scientifiques et met à disposition l'Infothèque francophone, portail organisé autour

---

16. OIF, *La Francophonie dans le monde – 2006-2007, op. cit.,*
p. 201.
17. The internet Architecture Board, The Internet Engineering Task
Force, The internet Corporation for Assigned Names and Numbers.

d'un vaste catalogue des ressources pédagogiques et scientifiques en français accessibles en texte intégral.

Pour importants qu'ils soient, l'ensemble de ces investissements apparaît largement insuffisant pour assurer une présence substantielle de la langue française dans l'espace numérique mondial dans la longue durée du XXIe siècle. L'effort doit être porté à un tout autre niveau. Certes, il importe de continuer l'effort de concertation entre les partenaires francophones et d'assurer leur présence dans les instances internationales du domaine. Mais cet horizon politique ne peut se substituer au travail de terrain, seul susceptible d'assurer la présence de la langue française dans l'espace numérique. Ce travail est urgent, indispensable et seul susceptible de combler l'écart qui, à ce jour, la laisse sur le bord de la route d'une trajectoire qui définit notre temps. L'OIF ne pourra, seule, combler ce qui doit l'être.

Une grande bibliothèque numérique

On attend des pays et gouvernements membres qu'ils initient des projets d'envergure, de grands projets fédérateurs dans des domaines qui comptent. L'exemple des travaux conduits aujourd'hui par les bibliothèques nationales illustre ce qui est attendu d'eux.

Créé en 2006, le réseau francophone des Bibliothèques nationales[18] a mis au point le projet d'une bibliothèque numérique francophone comportant un unique portail et des normes communes d'accès. Cette bibliothèque, dont

---

18. Ce réseau rassemble la Bibliothèque royale de Belgique, la Bibliothèque et les Archives du Canada, la Bibliothèque et les Archives nationales du Québec, la Bibliothèque nationale de France, la Bibliothèque nationale du Luxembourg, la Bibliothèque nationale de Suisse, la Biblioteca Alexandrina et des experts provenant des bibliothèques nationales et/ou patrimoniales des diverses régions du monde francophone. Voir le communiqué de la BAnQ intitulé : *Un premier projet d'envergure pour le Réseau francophone des bibliothèques nationales numériques*, Montréal, le 20 mars 2007.

les premières étapes de réalisation seront présentées au Sommet de Québec, en octobre 2008, a vocation de rassembler les fonds numérisés en français conservés par ces institutions. Elle constitue l'un de ces grands projets dont la Francophonie a un impérieux besoin pour assurer le rayonnement des cultures francophones et de la langue française.

Au risque de se répéter, la Francophonie doit porter à un autre niveau ses appuis aux initiatives de qualité en provenance du Sud. L'argument retenu concernant la production audiovisuelle vaut aussi pour le numérique en langue française. Sans la contribution du Sud, ce dernier n'aura pas le volume nécessaire pour s'imposer comme un important fragment du spectre mondial de l'univers numérique. Sans la contribution du Sud, le numérique en langue française manquera de la diversité, seule susceptible de le situer comme une référence essentielle et puissante dans cet autre monde où se stocke le savoir immémorial, actuel et à venir de l'humanité et où se déplace à forte vitesse les plus anciennes nécessités des hommes et des sociétés humaines, la communication, le partage et la reconnaissance réciproque.

Festive, la Francophonie ?

La Francophonie est aussi festive, capable de rassemblements faisant leur part à la création, à la convivialité, à la compétition. Certains portent un jugement sévère sur ces événements éphémères, lourds sur le plan budgétaire et apparemment à des années-lumière des priorités précédemment évoquées. D'autres célèbrent ces événements comme des illustrations tangibles du lien rassemblant les membres de la communauté, des figures concrètes et visibles d'une appartenance qui a besoin de se voir et de se faire voir. Dans notre monde tel qu'il est, ces rassemblements sont essentiels.

Un inventaire exhaustif de ce que la Francophonie a fait émerger comme grandes manifestations culturelles en surprendrait plus d'un[19] : multiples festivals de cinéma dans presque toutes les régions du monde francophone, célébration de la création musicale dans les fameux ralliements nommés Francofolies, marché des arts et du spectacle, fête du théâtre et fête de la poésie, participation à de nombreux salons du livre, jeux de la Francophonie où se manifestent dans une combinaison unique le meilleur des performances sportives et le meilleur de la création culturelle. En 2006, le Festival francophone en France, qui a rappelé la célèbre Francofête de Québec, a développé un modèle d'événement qui pourrait servir alternativement dans l'ensemble des pays francophones. L'OIF soutient financièrement un grand nombre de ces événements, soit par une contribution financière directe ou conjointe avec l'Union européenne ou d'autres bailleurs de fonds, soit par le financement des artistes qui s'y produisent. Par ailleurs, elle vient en appui aux tournées d'une trentaine d'artistes chaque année.

Ouagadougou, Tunis, Montréal, Casablanca, La Rochelle, Namur, Cotonou, Kinshasa, Paris, Le Caire, Genève, Port-au-Prince, Dakar, Trois-Rivières, Bobo Dioulasso, Brive-la-Gaillarde, Beyrouth, Cannes, Brazzaville, Bamako, Bruxelles, Abidjan et bien d'autres grandes villes sont des relais annuels de cette géographie intercontinentale des rencontres festives dont certaines sont aussi des marchés. Ces rencontres constituent autant de formes d'affirmation et d'illustration des cultures francophones et de la langue française, autant de moments de leur expression, de leur partage et de leur visibilité[20].

---

19. Un inventaire exhaustif des manifestations culturelles dans l'espace francophone a été établi et publié dans *La Francophonie dans le monde – 2006-2007, op. cit.*, p. 110s.

20. Pour une liste des lieux de production culturelle en Francophonie, on peut consulter le rapport *La Francophonie dans le monde – 2006-2007, op. cit.*, p. 123s.

Plusieurs de ces manifestations sont constamment enrichies par les programmes de coopération en matière de culture conduits par l'OIF. D'une perspective traditionnelle axée sur la subvention, ces programmes ont évolué ces dernières années vers des propositions structurantes privilégiant le développement des politiques nationales, la mise en place d'outils de financement faisant appel à la collaboration des institutions financières. Cette orientation prend en compte l'apport de la culture au développement, y compris le développement économique. Cet apport de la culture représente 7% du PNB mondial; dans le cas des pays en développement, il ne représente que 3% de leur PNB.

– Concernant le développement des politiques nationales, la concertation et la coopération ont notamment porté sur les questions majeures suivantes: législation générale et réglementation en matière de politique culturelle, protection des droits d'auteur, statut des artistes, organisation de filières spécialisées par domaine de la création, production y compris numérique, mise en marché et circulation des artistes et de leurs œuvres. De nombreux pays ont bénéficié de cette coopération.

– Concernant la mise en place d'outils de financement, l'OIF a créé trois fonds de garantie pour les entreprises culturelles du Sud, pour la musique, l'image et le livre. Elle s'est associée à des organismes financiers dans plusieurs pays pour la gestion de ces fonds et a contribué à la formation de leurs cadres œuvrant pour la première fois dans ces domaines. Ces fonds s'ajoutent au Fonds francophone de production audiovisuelle du Sud qui, depuis sa création en 1988, a contribué au financement de 700 films, comprenant 170 longs métrages dont plus de 50 ont été reproduits en DVD. La préoccupation de lier culture et économie se traduit aussi par l'appui à la présence des créateurs et des œuvres à de multiples marchés internationaux de l'audiovisuel et de la musique en Afrique, en Europe et en Amérique. Enfin, la création et le développement du Marché des arts du spectacle africain (MASA) a marqué un changement profond de la coopération culturelle francophone en permettant la rencontre de la meilleure création du continent avec les acheteurs internationaux.

1 000 manifestations

La Journée internationale de la Francophonie fêtée le 20 mars de chaque année est devenue une formidable célébration qui déborde les frontières convenues de la communauté francophone. En 2007, elle a donné lieu à 1 000 manifestations dans plus de 100 pays. Enfin, puisqu'il faut choisir, la Francophonie décerne chaque année un grand prix littéraire, le Prix des cinq continents dont la notoriété est grandissante et le Prix du jeune écrivain francophone qui vaut à son auteur d'être publié par les Éditions Buchet-Chastel[21].

Conforter et développer l'usage de la langue française constituent un défi considérable tant la compétition linguistique déjà engagée dans le nouvel espace culturel mondial est et sera ardente sinon agressive. Toute cette animation et toutes ces initiatives recensées dans ce chapitre et qui ne sont pas sans qualité, ont pour effet de maintenir les acquis et, dans quelques domaines, d'en assurer une progression modeste. Dans la nouvelle compétition culturelle et linguistique mondiale, elles ne suffisent pas et ne suffiront pas à créer les conditions d'une progression continue, même modeste, de l'apprentissage et de l'usage de la langue française dans l'espace francophone et dans le monde. On aura noté l'absence d'un grand projet en soutien à l'enseignement de la langue française

---

21. L'ensemble des prix reliés directement ou indirectement à la Francophonie fait l'objet d'un inventaire exhaustif dans le rapport 2006-2007, p. 133s.

à l'échelle de la planète, hors et dans l'espace francophone sur ce très vaste terrain où se joue maintenant la géolinguistique du futur proche. Entre le «vrai désir de français, cet attrait pour notre langue et ce qu'elle véhicule» constaté par Abdou Diouf «à travers mes déplacements dans le monde» et ce qui est engagé par les États et gouvernements francophones pour y répondre, le secrétaire général évoque diplomatiquement une «insuffisance de capacité». Dans ce constat se dissimule la réponse à la fameuse question qui déterminera le statut de la langue française au XXIe siècle: combien de divisions?

Une réponse décisive

La consolidation et le développement de l'usage de la langue française dans le monde ne peuvent plus être pensés dans la perspective historique telle qu'ils le furent au lendemain des indépendances ou encore après la fin du monde soviétique. Désormais, ils doivent être pensés dans le contexte nouveau d'une compétition sans précédent à l'échelle planétaire. Ils appellent bien davantage que la prolongation progressive de ce qui est présentement accompli, une réponse décisive à un enjeu géopolitique d'une autre dimension. Certes, certains des défis actuels sont les résidus de l'autre siècle. On pense spontanément à la scolarisation de tous les enfants africains. Mais, contrairement à la thèse développée par Dominique Wolton[22], la Francophonie n'est pas une autre mondialisation. Elle est dans la mondialisation, secouée et stimulée tout à la fois par l'émergence dans l'espace culturel mondial de la diversité culturelle qu'elle a souhaitée et qui induit la présence de nouveaux acteurs aux ambitions planétaires.

La Francophonie n'est plus dans un face à face avec une seule autre prétention, l'anglo-saxonne. Le monde n'est

---

22. Dominique Wolton, *op. cit.*, p. 26.

pas une vaste péninsule indienne où les anglophones ont le projet de faire des indigènes de bons élèves de la langue anglaise. Le face à face met la Francophonie en présence d'une pluralité d'aspirations, certaines bénéficiant des effets d'une croissance démographique considérable telle l'hispanophone, d'autres, telles la chinoise et l'indienne, de leviers géopolitique et économique quasi irrésistibles, d'autres encore, la russe et l'allemande, sur la conviction que l'issue de cette bataille linguistique et culturelle sera déterminante dans la recomposition des rapports de puissance au XXIᵉ siècle.

Ce n'est pas la Francophonie seule qui est interpellée par cette recréation du monde, la mondialisation culturelle étant plus difficile à évaluer que la mondialisation économique, selon l'expression de Gérard Leclerc dans *La mondialisation culturelle*[23]. La concurrence sera mondiale. Elle sera rude. Aucun pays francophone ne pourra tenir seul ce face à face.

Dans la mise en œuvre de son projet d'ensemble et par rapport à la consolidation et à l'expansion de l'usage de la langue française dans le monde, la Francophonie doit prendre note que le changement qui advient n'en est pas un de degré mais de nature. Ses choix stratégiques, diversité culturelle et promotion de la langue française, paix, démocratie et liberté humaine, éducation à tous les niveaux, recherche et développement durable couplé à la solidarité, ne sont pas en cause. Son positionnement international actuel non plus.

Portés à un autre niveau selon les exigences évoquées précédemment, ses programmes de promotion de l'enseignement de la langue française, son offre télévisuelle via TV5Monde et ses premières incursions dans le monde numérique doivent être confortés et développés de façon urgente et occuper l'espace mondial. Son appui aux grandes

---

23. Gérard Leclerc, *op. cit.*, p. 1.

manifestations culturelles devrait être désormais conditionné à leur redéploiement dans la perspective d'une
occupation systématique de l'espace culturel mondial à
travers TV5, la production et la mise en marché de DVD
et le réseau Internet.

Cette exigence devrait aussi être celle des États membres. En effet, ces derniers subventionnent directement ou
indirectement un grand nombre de manifestations culturelles d'envergure qui, repensées dans cette optique et
enrichies d'une composante francophone, pourraient et
devraient être systématiquement offertes à l'appréciation
de l'ensemble des populations francophones, à l'ensemble
de la population mondiale. Il est devenu impérieux de
répondre « au désir de français » et de le susciter par une
présence renouvelée de la Francophonie et de la langue
française dans le nouvel espace culturel mondial, d'y développer des attentes et des fidélités.

Cette présence renouvelée illustrerait la diversité culturelle de la communauté francophone, et la fécondité d'une
vision et d'une visée interculturelles et interrelationnelles
à l'échelle de la famille humaine. Elle donnerait consis-
tance à la politique qui refuse de voir les produits culturels
comme des marchandises parmi d'autres. Elle signerait
« la fin des civilisations isolées » qui est bien la finalité de
la reconnaissance de la pluralité des expressions culturelles et peut-être l'une des conditions de la sécurité et de
la paix. Elle aurait de plus pour effet de replacer la culture
au cœur du projet francophone, non pas comme un fragment de son offre de coopération, mais comme son centre
rayonnant, sa vraie raison d'être.

La Francophonie a cette capacité de montrer, sous son
unique bannière, les cultures de l'Afrique subsaharienne,
des Caraïbes, de l'océan Indien, du Maghreb et du Machrek,
de l'Europe de l'Ouest, du Centre et de l'Est, de l'Asie du
Sud-Est et du fragment francophone de l'Amérique du
Nord. Elle a cette capacité rare de faire se rencontrer ces

mondes et elle le fait effectivement depuis un demi-siècle. Pour la créer, la célébrer, la critiquer ou l'interpeller, des voix se font entendre de tous ces horizons, celles d'Alain Decaux, Michel Guillou, Denis Tillinac, Dominique Gallet, Dominique Wolton et Jean-Marie Gustave Le Clézio, de France, d'Amadou Lamine Sall et Makhily Gassama, du Sénégal, d'Henri Lopes du Congo (Brazzaville), d'Édouard J. Maunick de Maurice, de Jean-Marc Léger, Jacques Godbout, Louise Beaudoin, Lise Bissonnette et Hervé Foulon du Québec, d'Édouard Glissant de la Martinique, de Tahar Ben Jelloun du Maroc, de Monique Ilboudou du Burkina Faso, d'Antonine Maillet d'Acadie, d'Animata Traoré du Mali, de Mona Makki du Liban, de Souleymane Cissé du Mali, de Marie-Roger Biloa et Calixthe Beyala du Cameroun, de Youssef Chahine d'Égypte et de tant d'autres encore.

Malgré les progrès accomplis, une situation de fragmentation culturelle prévaut toujours dans le monde francophone. Cette situation affecte la cohésion de la communauté, limite la visibilité des œuvres de ses créateurs et l'influence de ce qu'ils ont à dire et disent sur les événements du monde. Ce déficit s'observe au sein même de la communauté et dans le monde. Comment le combler?

Les volontaires de la Francophonie

Enfin, la Francophonie doit investir urgemment et massivement dans une offre conséquente susceptible de répondre à la demande de français hors l'espace francophone, de répondre à la demande de français dans le monde et capable d'apporter un concours utile aux professeurs de français où qu'ils soient. Certaines des initiatives évoquées précédemment, enseignement à distance, partenariat entre l'AUF et TV5Monde, utilisation d'Internet, constituent des précédents utiles. Il s'agit de les porter à un autre niveau et de les étendre à l'échelle du monde sur le modèle de ce qu'a commencé à faire l'AUF. Ces initiatives pourraient avoir un effet d'entraînement et de mobilisation des plus jeunes générations pour aider à accomplir ces tâches indispensables dans ce domaine et dans d'autres champs de la coopération. La création récente des Volontaires de la Francophonie constitue une avancée considérable dans la mesure, cependant, où elle bénéficiera des appuis requis de la part des États et gouvernements membres pour se déployer à bon niveau dans le monde francophone et dans le monde tout court. Elle conjugue deux impératifs convergents : la mobilisation des nouvelles générations et leur engagement concret et utile dans le chantier prioritaire du développement.

CHAPITRE HUITIÈME

De l'éducation

La Francophonie est un vaste chantier éducatif. En effet, pour intervenir avec pertinence au plan international et auprès de ses États et gouvernements membres, elle dépend de sa capacité à se constituer en un observatoire actif de la permanence et de la mutation qui, sans cesse, reconstituent la configuration changeante du monde.

Considérable, cette fonction a été pleinement assumée ces dernières décennies, comme le prouve la capacité de la communauté à intégrer dans sa doctrine et dans sa politique les exigences du pluralisme culturel et linguistique, celles découlant des valeurs démocratiques et des défis posés par le développement durable et la solidarité. Domaine après domaine, elle a présidé à une vaste entreprise d'appropriation, et de transfert de savoir, des normes et des bonnes pratiques et contribué à leur connaissance et mise en œuvre dans l'espace francophone. Cette médiation du mondial vers le national et le local concerne aussi la maîtrise des TIC et leur utilisation à des fins pédagogiques, la recherche de financement pour le développement des systèmes éducatifs en Afrique subsaharienne et le développement d'une coopération de qualité dans le domaine de l'enseignement supérieur et de la recherche.

Plus concrètement, la Francophonie est aussi un vaste chantier éducatif tant l'ensemble considérable de ses interventions est fédéré par une même démarche de production, de dissémination et d'application du savoir. Telle est la mission spécifique de deux de ses opérateurs, l'Agence universitaire de la Francophonie et l'Université Senghor d'Alexandrie ; tel est aussi le choix effectué par l'Association internationale des maires francophones concernant l'aménagement urbain. Pour sa part, l'OIF, en coopération avec la Conférence des ministres de l'Éducation des pays ayant le français en partage et de nombreux autres partenaires, apporte une contribution considérable au système éducatif de ses États membres en Afrique subsaharienne. Et, comme établi précédemment, le travail de l'Assemblée parlementaire de la Francophonie en appui aux Parlements et aux Assemblées nationales comporte une dimension éducative indiscutable.

Enfin, la Francophonie est interpellée par l'état de prostration et de manque caractérisant les systèmes éducatifs et l'offre pédagogique prévalant dans un grand nombre de ses pays membres, particulièrement en Afrique subsaharienne. Au titre du développement, de la solidarité et des droits humains, cette situation est intolérable et appelle, de toute évidence, une attention prioritaire.

Est-il besoin de rappeler ici que la Francophonie, dans ce domaine comme dans tous les autres, n'a pas vocation à se substituer à ses États et gouvernements membres ? Sa tâche est autre. Mettre en lien et en réseau ces systèmes, leur donner l'occasion de connaître les bonnes pratiques en matière de gestion et de développement, créer des outils communs d'analyse et d'intervention en langue française, venir en appui aux plus faibles d'entre eux, contribuer à la disparition du fossé qui sépare les établissements du Nord de ceux du Sud et, concernant le niveau universitaire, créer les conditions de leur participation à l'espace scientifique mondial.

Le plus ancien domaine

L'offre éducative constitue le plus ancien domaine de la coopération multilatérale francophone. En effet, en 1960, une décennie avant que les États et gouvernements décident à Niamey de créer une organisation commune par la signature d'une charte et d'une convention intergouvernementales, certains d'entre eux avaient ressenti le besoin d'établir une coopération dans ce domaine et s'étaient regroupés pour créer la Conférence des ministres de l'Éducation des pays ayant le français en partage, la CONFEMEN.

En parallèle, en septembre 1961, les « universités de langue française et institutions apparentées » tenaient, sur le campus de l'Université de Montréal, leur premier congrès et fondaient « la toute première organisation de la Francophonie[1] ».

Où en sommes-nous 50 ans plus tard ?

Au niveau de l'enseignement de base, la Francophonie a apporté une contribution appréciable dans quelques domaines d'importance : l'appui aux politiques nationales de l'éducation, le renforcement des capacités des responsables des systèmes éducatifs et la prise en compte de la dimension genre dans l'offre pédagogique. Dans ce dernier cas, elle vient en appui à des programmes spécifiques d'éducation des filles, à la révision des cursus et à la sensibilisation des communautés. Enfin, dans plusieurs pays, elle apporte un appui considérable à des programmes spécifiques d'alphabétisation des femmes.

La CONFEMEN, seule ou en partenariat avec l'OIF, contribue à la circulation de l'information entre les responsables des systèmes éducatifs de ses 41 États et

---

1. Ce premier congrès rassemblait des représentants d'universités de Belgique, du Canada, du Québec, du Congo, de la République démocratique du Congo, de France, d'Haïti, du Liban, de Madagascar, du Maroc et de Suisse.

gouvernements membres et a développé un important programme d'analyse et d'évaluation de ces systèmes (le PASEC) avec l'appui notamment de la Banque mondiale, de l'UNICEF, de la Banque africaine de développement (BAD), de la Banque islamique de développement, du Secrétariat du Commonwealth et de l'Association francophone internationale des directeurs d'établissements scolaires (AFIDES). Ce programme francophone de recherche en éducation a bénéficié à ce jour à 17 pays et, à terme, bénéficiera à tous les pays francophones de l'Afrique subsaharienne. La conférence a de plus investi dans la bonne gouvernance de ces systèmes, conduit des campagnes de promotion de l'éducation pour tous et inséré la question du genre dans ses propositions. En ce qui a trait à la formation des formateurs, l'OIF a multiplié les initiatives sur une base régionale et dispose aujourd'hui d'un bassin de personnes-ressources équipées pour diffuser dans leur pays d'origine les meilleures pratiques concernant notamment l'approche par compétences. L'Organisation a mis à leur disposition une banque de données regroupant l'ensemble des meilleurs outils de formation disponibles.

Plus récemment, la conférence ministérielle a fait le pari considérable de demander à ses membres la production de plans nationaux comprenant des méthodes et objectifs d'évaluation et s'inspirant des normes internationales reconnues. La réhabilitation et le développement des systèmes éducatifs constituent l'objectif de ces plans, que tous les pays sollicités ont produits. Leur mise en œuvre cependant est, pour un grand nombre d'entre eux, dramatiquement limitée par le manque de moyens financiers. L'effort de la Francophonie s'est, en conséquence, porté sur l'accès aux financements internationaux. L'OIF a organisé des tables rondes régionales consacrées à cette question du financement et assure leur suivi en permanence. Pour sa part, la CONFEMEN a conduit d'importants travaux

pour assurer l'éligibilité de ses États membres aux financements internationaux.

Ces initiatives ont produit des résultats considérables.
Elles ont placé les politiques de l'éducation dans un processus permanent d'analyse et de recherche et d'évaluation, porté l'attention sur l'importance d'une gestion de
qualité des systèmes éducatifs et contribué à la recherche
de conditions susceptibles de rendre l'éducation accessible
à tous, y compris les filles. Elles ont de plus permis la
constitution de multiples réseaux et ainsi allégé l'isolement relatif des administrateurs, des directeurs d'établissements scolaires et des pédagogues par discipline dans
de nombreux pays. Enfin, elles ont le grand mérite de
maintenir à l'agenda international la question pressante
de l'accès à l'école primaire pour les enfants africains.

Dans le même esprit, la Conférence des ministres de la
Jeunesse et des Sports des États et gouvernements ayant le
français en partage (CONFEJES) a développé d'importants
programmes de formation à l'entrepreneuriat et d'inser-
tion économique des jeunes. Ces programmes ont permis
à des milliers d'entre eux, dans 30 pays du Sud, de créer
des micro-entreprises et ainsi d'échapper à la marginalité
économique et sociale. Ce faisant, la conférence a le grand
mérite, outre sa contribution concrète à l'amélioration
de la vie d'un grand nombre, de maintenir à l'agenda la
question pressante de l'accès à l'emploi pour des millions
de jeunes africains qui en sont privés.

La Francophonie n'a cessé, depuis la conférence de
Jomtien et le Forum mondial de Dakar sur l'éducation, de
plaider avec force la cause de la scolarisation des enfants
du continent. Elle a été peu entendue et notamment de ses
membres les mieux nantis. Cette plaidoirie repose sur un
constat tragique :

En Afrique subsaharienne persiste un écart important avec
le reste du monde quant à l'efficacité des réponses apportées

aux besoins éducatifs fondamentaux. La qualité de l'éducation reste insuffisante et le fossé entre le nombre d'élèves
qui terminent l'école et celui qui, parmi eux, maîtrisent un
minimum de compétences cognitives est profond[2].

Tous les investissements de la Francophonie ajoutés à
ceux consentis au niveau national n'ont pas su combler ce
retard dramatique qui domine toujours le paysage de
l'éducation de base dans l'espace francophone africain.
Dans son rapport préparé pour le sommet de Bucarest, le
secrétaire général de la Francophonie affirmait : « Les systèmes éducatifs d'une majorité de pays du Sud, notamment
francophones, restent déficients[3]. » Comme le proposait
Jacques Delors, président de la Commission internationale
sur l'éducation pour le XXIe siècle en 1996, seule une forte
mobilisation de la communauté internationale et des
institutions financières internationales se traduisant par
l'investissement du quart du total de l'aide au développement pourrait, à terme, combler cette déficience[4]. Nous
en sommes toujours bien éloignés. La contribution de la
Francophonie apparaît bien limitée et insuffisante compte
tenu du déficit éducatif qui ne cesse de se creuser dans un
grand nombre de ses pays membres. Ce qu'elle accomplit
dans ce domaine n'en demeure pas moins très important
et indispensable.

Le défi du millénaire

Aujourd'hui la scolarisation, au niveau primaire, atteint
respectivement 95,6 % des clientèles cibles dans les pays
dits développés et 85,6 % dans les pays en développement
pour une moyenne mondiale de 86,7 %. La moyenne fran-

---

2. OIF, *Rapport du Secrétaire général de la Francophonie, op. cit.,*
p. 95.
   3. *Ibid.,* p. 93.
   4. Jacques Delors, (Rapport à l'UNESCO de la Commission internationale sur l'éducation pour le XXIe siècle, présidée par), *L'éducation :
Un trésor est caché dedans,* Paris, UNESCO, Odile Jacob, 1996, p. 30.

cophone se situe à 80,6% et près de la moitié des pays membres de la Francophonie sont en dessous, parfois dramatiquement, de cette moyenne déjà si faible. Dans un certain nombre de ces pays, la scolarisation de base rejoint seulement un enfant sur deux et, dans quelques autres, la situation est encore plus critique. Enfin, l'Institut des statistiques de l'UNESCO signalait récemment que la moitié de ces enfants africains ne terminent pas le cycle primaire. Commentant cet état des lieux, le secrétaire général Abdou Diouf affirme avec raison:

> La crise inquiétante des systèmes éducatifs des pays les plus pauvres de notre espace est sans aucun doute, pour l'avenir de nos populations, pour notre jeunesse, le défi le plus important de ce millénaire[5].

Selon les projections de la Banque mondiale, en 2015, 75% des jeunes Africains ne seront pas scolarisés si les systèmes éducatifs africains ne sont pas dotés de moyens conséquents permettant d'accélérer le rythme actuel de scolarisation[6].

Certes, on ne peut tenir la Francophonie responsable de cette situation dans un domaine qui est d'abord de la responsabilité nationale et qui découle de facteurs historiques, politiques, sociaux et économiques connus. Mais ce défaut de scolarisation, au début du XXIe siècle, a de telles conséquences sur la vie des personnes, des communautés et des nations qui en sont affectées, il contredit si brutalement les objectifs de la Francophonie concernant les droits et le développement humains et limite si manifestement l'apprentissage de la langue française dans un grand nombre de pays dits francophones qu'on doit le poser comme une faille béante, une fracture insoutenable au cœur même de la Francophonie.

---

5. OIF, *La Francophonie dans le monde – 2004-2005, op. cit.*, p. 5.
6. OIF, *Rapport du Secrétaire général de la Francophonie, op. cit.*, p. 94.

Cette situation extrême est intolérable et douloureuse. Si la Francophonie ne peut être tenue responsable d'une telle situation, elle ne peut rester les bras ballants et le regard lointain devant ces millions d'enfants des pays francophones qui n'iront pas à l'école une seule journée dans leur vie au XXIe siècle. On ne peut indéfiniment multiplier les déclarations de principe sur l'égalité et, en même temps, rester passif devant l'inégalité absolue que constitue l'analphabétisme. On ne peut proclamer la force du droit et des droits humains et, en même temps, rester passif devant une discrimination aussi funeste et affectant un si grand nombre de personnes. La Francophonie doit extirper cette violence d'elle-même. L'OIF n'est pas ici mise en cause. C'est l'instance suprême de la Francophonie qui doit être interpellée. Une action décisive du Sommet des chefs d'États et de gouvernements est indispensable et urgente.

Depuis longtemps, des personnalités africaines ont interpellé la communauté francophone et insisté sur les « effets incalculables et dramatiques » sur la Francophonie elle-même d'un tel retard dans la scolarisation de base des enfants africains. Ce retard induit de multiples déficits dont celui, considérable, de l'apprentissage et de la maîtrise de la langue française. Faut-il rappeler ici que ce drame se déploie dans la seule région du monde où la démographie permet à la Francophonie de se penser dans le long terme comme une communauté suffisante pour compter dans le nouvel aménagement linguistique à l'œuvre dans notre temps ?

Dans la préparation de cet ouvrage, cette situation, qualifiée de « scandaleuse », a été évoquée par plusieurs des témoins interrogés. Tout en reconnaissant que la Francophonie dispose de programmes utiles concernant l'éducation, les langues nationales, la lecture publique, la diffusion et la circulation du livre ; ces témoins insistent pour une mobilisation immédiate, sans précédent par son intensité et sa résilience, de la Francophonie, une mobilisation aussi intense que celle consentie depuis 10 ans pour livrer et gagner la bataille de l'exception culturelle.

L'objectif est clair : il faut que soit comblé, à l'horizon 2020, le déficit, quasi sans équivalent dans le monde, de l'éducation de base des enfants dans le sud de l'espace francophone. Ceux-là comptent sur les coopérations des pays nantis de la Francophonie et sur la qualité des relations créées par la Francophonie avec un grand nombre d'organisations internationales et continentales dont les contributions devraient être recherchées, ainsi que sur celle des grandes fondations à vocation mondiale, celle du secteur privé multinational ayant des activités sur le continent. Leur conviction est commune. À quand un comité restreint de chefs d'État et de gouvernement chargé de rassembler les ressources indispensables pour intégrer les pays francophones du Sud dans «cette société cognitive» qui, dit-on, définit le XXIe siècle? À quand une agence francophone dédiée exclusivement au règlement du déficit éducatif de l'enseignement de base dans la Francophonie du Sud?

La bataille de la scolarisation de base pour tous les enfants francophones doit être livrée et gagnée. Dans le cas contraire, l'avenir de la Francophonie dans la longue durée du XXIe siècle est loin d'être assuré. Elle pourrait se réduire dans le temps à une idée qui vit au Nord et qui se dissout au Sud, une idée qui a finalement perdu la bataille de la solidarité et de l'universalité, qui a basculé du plein vers le vide. Certes, la nécessité est ici liée à l'avenir de la langue française, mais elle est aussi politique, culturelle et éthique. Elle éclaire ces «biens essentiels» évoqués par Jacques Attali, «ces biens auxquels chaque être humain doit avoir droit pour mener une vie digne, pour participer au bien commun[7]».

---

7. Jacques Attali, *op. cit.*, p. 386.

693 institutions, 81 pays

Le déficit éducatif n'est pas limité à l'enseignement primaire et secondaire dans la communauté francophone. Il affecte aussi et massivement l'enseignement supérieur et la recherche. Cependant, à ce niveau, l'action de la Francophonie, bien que déficiente, apparaît mieux structurée et plus susceptible de produire des résultats certes insuffisants, mais réels.

L'assemblée constitutive de ce qui deviendra l'AUF a eu lieu à Montréal, le 13 septembre 1961, à l'initiative de Jean-Marc Léger, alors journaliste au *Devoir* et d'André Bachand, alors directeur des relations extérieures de l'Université de Montréal. Cette assemblée était composée de représentants d'une quarantaine d'universités et d'une dizaine d'États[8]. L'Agence universitaire de la Francophonie fédère aujourd'hui 693 établissements d'enseignement supérieur et de recherche répartis dans 81 pays.

Les établissements de l'espace francophone et les membres associés des institutions sont membres titulaires, lesquels, hors cet espace, offrent au moins deux filières diplômantes en langue française. Toutes catégories confondues, ce sont plus de 200 institutions qui se sont jointes à l'AUF depuis l'an 2000 et le volume des demandes d'adhésion est constant[9].

La qualité et la diversité des réseaux de l'Agence et les contenus de son offre de coopération expliquent son attractivité. En effet, la plus grande ouverture caractérise la position stratégique de l'AUF, vaste rassemblement des

---

8. Un demi-siècle plus tôt, en 1913, une même démarche a conduit à la création de l'Association des universités du Commonwealth.

9. En 2006, la répartition des membres de l'AUF par région s'établissait comme suit : 93 en Afrique subsaharienne, 42 en Amérique du Nord et en Amérique latine, 62 en Asie et dans le Pacifique, 12 dans les Caraïbes, 69 en Europe centrale et orientale, 212 en Europe occidentale, 66 dans le Maghreb, 28 au Moyen-Orient et 32 dans l'océan Indien. Source : *AUF, L'Agence universitaire de la Francophonie*, Montréal, AUF, 2006, p. 19.

universités de l'espace francophone comme noyau d'un réseau mondial de coopération universitaire. « Pour nous, affirme un responsable, la langue française n'a pas de frontière. » Comme il sera démontré plus loin, l'AUF conduit des activités conjointement avec des institutions d'autres aires linguistiques, y compris anglophones et, dans ce dernier cas, établit des ponts entre l'Afrique dite francophone et l'Afrique dite anglophone.

Priorité à l'Afrique

La priorité accordée à l'Afrique constitue un élément majeur du positionnement stratégique de l'AUF. Seul système universitaire multilatéral accessible aux universités francophones du Sud, l'AUF offre à ces institutions et à leurs chercheurs un accès privilégié à la recherche et à la science telles qu'elles se constituent ailleurs dans le monde. Elle représente aussi un levier pour leurs meilleures initiatives en recherche et développement tel, parmi d'autres, l'Institut de recherche sur le paludisme de Bamako, reconnu comme pôle d'excellence par l'AUF[10]. Enfin, son offre de coopération est accessible aux institutions, chercheurs et étudiants africains sous diverses formes :

- participation, et dans certains cas, direction des réseaux spécialisés de chercheurs ;

---

10. En 2006, l'AUF a ainsi reconnu et soutenu 16 pôles d'excellence à vocation régionale dont 13 sur le continent africain. À Yaoundé (droits humains), Brazzaville (alimentation et nutrition), Butare (santé mentale), Abomey (philosophie), Ouagadougou (biologie), Cocody (biochimie médicale), Dakar (droit), Lomé (architecture), Hô-Chi-Minh-ville (tourisme), Sofia (bio-énergie), Tanger (environnement), Tunis (mathématique), Saint-Joseph (biologie), Antananarivo (lettre). Chacun de ces pôles bénéficie de la collaboration des universités de la région ainsi que d'un réseau de chercheurs de l'espace francophone et hors espace francophone. En 2006, des chercheurs de la Suède, de l'Union européenne, de l'Angleterre, des Pays-Bas, du Danemark, de la Russie, d'Afrique du Sud, d'Ukraine, des États-Unis et d'Italie étaient associés à l'un ou l'autre de ces pôles d'excellence.

- accès de proximité aux campus numériques[11] et centres d'accès à l'information : 50 % de ces campus et centres d'accès (21 sur 41) sont installés sur le continent, offrant 546 postes à plus de 6 000 abonnés ;
- appui aux filières universitaires francophones de formation ;
- accès à des appels d'offre concernant la gouvernance des institutions de haut savoir, la publication de revues électroniques ou sur papier et, au titre de la mobilité, 3 000 bourses sont offertes annuellement par l'AUF, dont un grand nombre sont octroyées à des étudiants du continent ;
- soutien à six centres régionaux d'enseignement spécialisé en Afrique subsaharienne.

Une constellation de réseaux

L'AUF est avant tout une constellation de réseaux en conformité avec les quatre missions du cadre stratégique décennal de la Francophonie adaptées à la réalité de l'enseignement supérieur. Ces missions, rappelons-le, concernent la promotion de la diversité culturelle et de la langue française, le soutien à la démocratie, l'appui à l'éducation comprenant l'enseignement supérieur et la recherche et le développement durable.

Dans chacun de ces domaines, l'AUF propose une gamme de programmes dont la finalité répond aux objectifs suivants : création et appui à des réseaux multilatéraux de chercheurs universitaires désireux de travailler sur une thématique commune, de participer à la formation et à la recherche, de contribuer à la diffusion de l'information scientifique et de créer, dans leur domaine, des manifestations scientifiques locales, régionales ou internationales.

---

11. Un campus numérique est une plate-forme technologique d'appui aux établissements d'enseignement supérieur du Sud. Ces lieux, dédiés aux nouvelles technologies et installés au cœur des campus universitaires offrent des services (formation en ligne, accès aux bases de données, formation des formateurs) qui s'adressent prioritairement aux étudiants des niveaux maîtrise et doctorat, aux enseignants et chercheurs.

– Concernant la diversité et la langue française, l'AUF soutient six réseaux, comme énoncé précédemment[12]. Plus de 700 chercheurs, dont 353 du Sud, sont associés à ces réseaux[13]. Ces derniers œuvrent à la consolidation de l'enseignement du français, à la promotion de la diversité culturelle et au pluralisme linguistique, au renforcement de la recherche francophone et à la collaboration avec les autres aires linguistiques. Cette collaboration s'inscrit dans l'initiative prise par le secrétaire général avec la Communauté des pays de langue portugaise (CPLP), l'Organisation des États ibéro-américains (OEI) et l'Union latine. Ces derniers ont convenu de mener avec l'AUF une politique commune de valorisation et de diffusion des langues. Ce programme vient aussi en appui aux départements universitaires qui enseignent le français dans 24 pays. Enfin, il alimente les travaux des unités d'enseignement de la langue française par des publications diverses, imprimées ou électroniques, dans 171 pays.

– Concernant l'État de droit et la démocratie, l'AUF soutient quatre réseaux dédiés aux droits fondamentaux, à l'État de droit, aux droits des femmes et au droit à la santé. Près de 300 chercheurs dont 159 du Sud sont associés à ces réseaux. Ces derniers œuvrent au développement démocratique, à la formation dans le domaine des sciences juridiques et politiques, au renforcement de la recherche francophone dans le domaine. Douze filières de formation dédiées à l'État de droit et à la démocratie sont soutenues par l'AUF en Asie-Pacifique (Vietnam, Laos, Vanuatu) en Europe centrale et orientale (Roumanie, Pologne, Bulgarie et Moldavie) et au Moyen-Orient (Liban).

– Concernant l'enseignement universitaire et la recherche, l'AUF soutient toute une gamme d'initiatives : pôles

---

12. Voir *supra*, p. 189.
13. L'ensemble des statistiques citées dans ce chapitre provient du 1er rapport d'activités 2007 de l'AUF.

d'excellence régionaux du Sud autour d'une unité universitaire (laboratoires, départements, centres de recherche,
facultés...) dont la qualité des travaux scientifiques est
reconnue au niveau international; projets de coopération
scientifique dédiés à la recherche elle-même ou à la formation à la recherche – 75 de ces projets ont bénéficié de
l'appui de l'agence pour l'année 2006 – prix scientifiques
dans les domaines des sciences, de la médecine et des
sciences humaines et sociales; appui au renforcement de
la gouvernance universitaire, aux réseaux institutionnels
et aux conférences régionales de recteurs[14].

Ces réseaux institutionnels contribuent notamment à la
valorisation de la production et de la diffusion de la science
en français, à la mise à jour des répertoires d'experts, à la
production d'annuaires de formations et de répertoires des
thèses, publications et documentation scientifiques en
français. Enfin, le programme enseignement universitaire
et recherche gère une importante offre de mobilité scientifique et universitaire au profit de 2 000 étudiants, enseignants et chercheurs.

– Concernant l'environnement et le développement
durable, l'AUF soutient neuf réseaux spécialisés couvrant
une gamme impressionnante de domaines : démographie,
analyse économique et développement, entrepreneuriat,
télédétection, génie des procédés appliqués à l'agroalimentaire, biotechnologies végétales, maladies parasitaires
vectorielles, érosion et gestion conservatoire des eaux et
des sols, environnement et développement durable. Plus
de 3 500 chercheurs, dont 1 435 du Sud, sont associés à ces
réseaux. Ces derniers œuvrent à la compréhension des
problématiques du développement durable, de la protection de l'environnement (énergie, eau, climat, biodiversité,
déséquilibres économiques et sociaux) et au renforcement
de la recherche francophone dans le domaine.

---

14. *Ibid.*, p. 36.

De cette constellation de réseaux émerge une géographie de la présence de la Francophonie dans le monde universitaire. Cette présence recouvre et déborde la totalité de l'espace francophone. Elle lie des centaines d'institutions et des milliers de chercheurs, fédère d'innombrables projets de formation, de recherche, de publications, de diffusion de l'information scientifique et vient en appui à de très nombreuses manifestations locales, nationales, régionales et internationales. Comme démontré précédemment, d'une façon progressive et décisive, l'agence a intégré les technologies de communication à ses façons de faire et à ses offres de formation. Elle a retenu la formule des appels à candidature, à projet de publication, à communication, au soutien à la gouvernance comme système d'évaluation et de sélection. Elle privilégie, dans ses évaluations et ses choix, le critère du genre à compétence équivalente, la présence des femmes dans l'enseignement supérieur étant toujours largement inférieure dans l'espace francophone en comparaison de la situation mondiale. Enfin, l'institution expérimente de nombreuses formules susceptibles de favoriser l'intégration des jeunes diplômés du Sud dans leur pays et espère ainsi, même modestement, contribuer au renversement de l'exode des cerveaux.

Pour la définition et la mise en œuvre de cette vaste opération, l'AUF compte sur l'appui financier de la Francophonie et, dans ce cas comme dans bien d'autres, cet appui est d'abord fourni par les contributions de la France. L'agence a aussi obtenu des financements additionnels de la Banque mondiale, de l'Union européenne, de la Banque européenne de développement et de la Banque africaine de développement. Elle bénéficie de plus de contributions spécifiques de certains États. À titre d'exemples, la Roumanie lui a confié la gestion de son programme de bourses de la Francophonie à la hauteur de un million d'euros par année ; Haïti a fourni le terrain requis pour la construction de l'Institut de la Francophonie pour la gestion dans les

Caraïbes et le Gabon, un bâtiment important pour y conduire ses activités dans la région.

L'AUF est aujourd'hui et incontestablement un opérateur majeur de la Francophonie. Ses orientations stratégiques, sa priorité pour l'Afrique, ses méthodes de travail en réseaux, sa gestion des ressources par appels d'offres et son recours aux TIC, y compris pour l'édition, servent bien la communauté francophone universitaire, privilégient l'excellence et contribuent indiscutablement à la production et à la circulation de la science en français. Enfin, sa contribution à l'enseignement de la langue française, à la croissance du nombre de locuteurs et à son usage dans de nombreux domaines de pointe en Francophonie et hors Francophonie est certaine et très importante. Cependant, dans la concurrence qui se déploie dans l'espace culturel et linguistique mondial, son offre apparaît insuffisante et pourrait, si maintenue à son niveau actuel, être marginalisée par d'autres coopérations disposant de moyens beaucoup plus considérables. La qualité du travail de l'AUF n'est pas en cause, ni sa capacité d'œuvrer à l'échelle de la communauté et du monde. La preuve faite est concluante. Toutefois, il est peu probable, compte tenu du niveau des ressources dont elle dispose, qu'elle puisse, dans la moyenne durée, structurer durablement les deux grands domaines dont elle a la charge, le soutien et le développement de l'offre dans l'enseignement supérieur dans l'ensemble des pays francophones et la production et la diffusion de la science en français au XXIe siècle. L'instrument existe et sa qualité est certaine. Ses moyens apparaissent cependant bien insuffisants pour accomplir ce qui doit l'être : contribuer au maintien et au développement de l'offre dans l'enseignement supérieur dans les pays du Sud de la communauté et fédérer les apports de l'ensemble des institutions francophones de haut savoir dans les domaines constitutifs de la Francophonie.

CHAPITRE NEUVIÈME

Du développement durable

De l'ensemble des préoccupations mondiales qui aujourd'hui mobilisent les pouvoirs publics et les sociétés civiles confondus, la problématique du développement durable, y compris son importante composante environnementale, occupe le tout premier rang. Cette préséance est installée durablement à tous les niveaux de la vie des hommes. Elle occupera sans conteste l'avant-scène tout au long du XXIe siècle et encore bien au-delà.

Porteur pour l'avenir

Dès le premier Sommet francophone tenu à Versailles en 1986, cette préoccupation émerge des délibérations des chefs d'État et de gouvernement comme l'un des cinq secteurs «porteurs pour l'avenir». Le débat porte alors sur les questions posées par l'énergie, sa gestion, son coût, la sécurité des approvisionnements, l'épuisement appréhendé de la ressource et le besoin de développer des solutions de rechange. Trois ans plus tard, au Sommet de Dakar, le débat s'élargira à la donnée environnementale sous le vocable fédérateur de développement durable. La Francophonie fait alors sien l'un des enjeux les plus complexes, les plus exigeants et les plus urgents qui sollicitent la communauté internationale, sa capacité de concertation, de négociation et de production de résultats. Les dirigeants francophones ne s'en tiennent pas à une simple déclaration de principes. Ils décident, dès 1989, de convoquer une conférence des ministres et autorités chargés de l'environnement dans les pays membres de la Francophonie. Cette conférence se réunit à Tunis en 1991. Elle produit un plan d'action exhaustif dont la mise en œuvre consacre l'engagement de la communauté, lequel a produit d'indéniables résultats.

Pour en mesurer l'importance, il importe de rappeler les motifs qui ont conduit les chefs d'État et de gouvernement à engager la communauté francophone à s'investir durablement dans ces domaines apparemment éloignés, selon certains, des préoccupations initiales de la Francophonie. Ces motifs peuvent être résumés comme suit :

– L'importance géopolitique et éminemment stratégique que revêtent les questions énergétiques et environnementales pour la communauté internationale et, en conséquence, pour l'ensemble des pays francophones. Leurs effets sur les plus vulnérables d'entre eux, une majorité, qui voient leur développement durement affecté par les prix inégalés du pétrole et la dégradation de leur environnement. Bref, le caractère pervers d'un système qui, d'un côté, cherche à créer les conditions de la croissance et, de l'autre, les annule systématiquement. Comme il a été rappelé précédemment, la Francophonie forme une communauté Nord-Sud. Cette qualité constitue l'un des motifs majeurs de son engagement dans l'ensemble des questions que fédèrent les enjeux et défis du développement durable.

– Le besoin, dans ce contexte, de revoir, d'adapter et de rénover les systèmes nationaux de gestion énergétique, de produire de la connaissance nouvelle par la concertation, la formation des responsables de ces systèmes, l'échange de bonnes pratiques et la circulation de l'information. La Francophonie devait décider de son intérêt, notamment linguistique, à se constituer en maître d'œuvre de cet ensemble d'initiatives pour un grand nombre de ses pays membres, initiatives qui autrement tarderaient vraisemblablement à atteindre le continent africain et qui, le cas échéant, se déploieraient largement en langue anglaise.

– Enfin, la convocation par les Nations Unies, à l'initiative de son secrétaire général, Boutros Boutros-Ghali, du Sommet de la Planète Terre sur l'environnement posait une question inédite aux responsables de la Francophonie. Fallait-il laisser chaque pays francophone se présenter isolément à cette rencontre mondiale d'un nouveau type? Sinon, quels étaient leurs analyses et intérêts convergents susceptibles, dans certains cas du moins, de dégager des positions communes et, par conséquent, une position francophone au Sommet de Rio?

Leur réponse est venue, constante et définitive: «Faire entendre la voix de la Francophonie dans les grands débats internationaux et contribuer au respect de la diversité culturelle et linguistique, historique, économique et sociale, facteur d'enrichissement pour l'humanité[1].» Cette réponse a été confirmée à tous les Sommets et, dans le domaine de l'environnement, elle a été réaffirmée avec force en 2004 au Sommet de Ouagadougou portant sur la Francophonie comme espace solidaire pour un développement durable.

La conférence ministérielle de Tunis devait vérifier la faisabilité de cette ambition. Les représentants de 40 États et gouvernements dont 27 ministres présents se mettent d'accord sur un important programme de concertation, de formation, d'information, de sensibilisation et de partenariat. De plus, ils décident d'interventions convergentes

---

1. Déclaration de Maurice, dans *Francophonie et démocratie, op. cit.*, p. 92.

à l'occasion de la plus vaste concertation mondiale sur l'environnement et le développement qui ait jamais été organisée. Enfin, ils souhaitent que la Francophonie participe à toutes les séances préparatoires à travers notamment la présence des experts nationaux.

Cette volonté a produit de nombreux résultats. À la suite des requêtes incessantes de la Francophonie, les questions de la désertification et de la forêt sont ajoutées à l'ordre du jour du Sommet et la langue française est rétablie comme langue officielle après avoir été ignorée dans les documents soumis aux États à l'occasion des réunions préparatoires tenues à New York et Genève.

Rio comme modèle

Le modèle de participation retenu par la Francophonie pour le Sommet de Rio servira de matrice pour les nombreux sommets mondiaux qui seront convoqués par les Nations Unies dans la dernière décennie du XXe siècle. Ce modèle conjugue d'évidentes nécessités : l'accès pour tous les États membres à un même niveau d'information ; établissement des intérêts des États et gouvernements membres ; recherche de positions communes ; prise en compte de la diversité des situations des pays par rapport au développement et défense de la pluralité linguistique.

De cette philosophie et de cette politique, la Francophonie et ses membres ont tiré d'incontestables avantages, et la langue française une présence et une visibilité qu'elle n'aurait pas eues autrement. À la vérité, cette dernière aurait été ignorée et marginalisée sans cette volonté de participation des francophones comme communauté soucieuse à la fois de sa reconnaissance pour ce qu'elle a à dire sur les contenus et soucieuse de reconnaissance aussi pour la langue qui exprime sa spécificité.

Ce positionnement n'a pas été aisé tant les responsables de la préparation du Sommet de Rio ont, dans un premier temps, ignoré la diversité linguistique et, ce faisant, conforté la *lingua franca* que l'on sait. Soutenus par les porte-parole d'autres communautés linguistiques, les représentants de la Francophonie ont multiplié les représentations à Genève et à New York, les représentations et les menaces polies mais fermes de retrait des travaux. Absence de budget, absence de traducteurs, absence d'interprètes, la litanie connue tel un mantra fut récitée maintes fois. Mais la détermination des représentants francophones a fini par l'emporter et les Nations Unies se sont vues forcées de respecter ce qu'elles sont.

À l'échelle de la planète, la reconnaissance de la diversité linguistique n'est pas une fiction rhétorique, une plaidoirie *pro forma* ou une pétition de principe. Elle est une lutte farouche, un dur combat qui peut se conclure favorablement. Ceux qui méprisent la Francophonie politique doivent savoir que, sans elle, cette lutte et ce combat n'auraient pas lieu. En conséquence, la langue française disparaîtrait, à terme, du radar mondial, la langue française et toutes les langues qui peuvent raisonnablement aspirer à une existence à ce niveau.

Telle est la bataille qui a été conduite et gagnée à l'occasion du Sommet de Rio ; telle est la bataille conduite aujourd'hui par l'OIF dans les instances internationales pour la prise en compte des intérêts de ses pays membres, pour la reconnaissance de la langue française et, plus largement, la prise en compte de la diversité de la famille humaine.

Tels sont les principaux motifs de l'engagement de la Francophonie dans les domaines du développement durable. Comme on vient de l'établir, cet engagement est indissociable de l'affirmation et de la lutte pour la reconnaissance de la diversité culturelle et linguistique et l'usage de la langue française dans les instances internationales.

Pour la mise en œuvre du plan d'action de la Conférence de Tunis et des suivis du Sommet de Rio, la communauté francophone disposait d'un instrument institutionnel spécialisé, l'IEPF. Créé à l'initiative du premier ministre québécois Robert Bourassa, fortement influencé par le président Houphouët-Boigny de la Côte d'Ivoire, à l'occasion du deuxième Sommet francophone tenu à Québec à l'automne de 1987, l'Institut a d'abord été chargé de la coopération francophone en matière d'énergie. En 1996, son mandat a été élargi à l'ensemble des coopérations dédiées aux questions environnementales.

Modeste par la dimension de ses moyens compte tenu de l'ampleur de ce qui était attendu de lui, l'Institut s'est constitué comme centre d'une vaste entreprise de concertation et de négociation, de production de savoir incluant les transferts de technologies, de connaissances et d'information, comme centre rayonnant faisant connaître et partager l'expertise, les intérêts, les objectifs et les valeurs francophones à l'échelle de la Francophonie et à celle du monde.

De l'ensemble des concertations et négociations conduites par l'Institut et avant lui par l'ACCT, celles précédant et suivant le Sommet de Rio occupent indiscutablement le tout premier rang par leur nouveauté et leur exemplarité. Il s'agissait d'abord de créer des liens avec l'ensemble des États et gouvernements membres de la Francophonie et leurs responsables de la politique environnementale, de susciter leur intérêt et leur engagement pour un ensemble de domaines qui, jusque-là, n'avaient jamais fait partie des travaux de la communauté dont, notamment, la diversité biologique, les changements climatiques et la lutte contre la désertification.

Cet intérêt et cet engagement devaient s'inscrire dans un agenda imposé de l'extérieur en fonction d'une méthodologie et d'une perspective mondiale visant l'ensemble de l'humanité. Telles étaient normalement les exigences du Sommet de la Planète Terre sur l'environnement.

À l'intérieur de ce cadre, vaste mais précis, il s'agissait de maîtriser les contenus complexes et divers des domaines en négociation, de déterminer les besoins, attentes et conceptions partagés des pays francophones et de les transcrire dans des propositions convergentes et/ou communes. En témoigne une responsable des politiques énergétiques et environnementales d'un grand pays francophone de l'Afrique de l'Ouest:

> Nous étions heureux d'avoir un outil, l'IEPF et ses propositions. Nous avions enfin des références en français pour traiter des questions qui nous concernaient. L'Institut a beaucoup contribué à notre compréhension des enjeux, des mécanismes de négociations et de leurs suites. Tout cela nous a permis de participer au débat mondial mais aussi de mieux saisir les applications des décisions globales aux réalités nationales.

L'entreprise était considérable. Elle a produit des résultats probants.

De Rio, où les ministres francophones se sont à nouveau réunis, jusqu'à aujourd'hui, la participation des pays francophones a été soutenue, large et productive. Qu'il s'agisse des contenus d'Action 21[2], des conventions sur la biodiversité et le changement climatique, les délégués francophones sont demeurés fort actifs. Ils ont conduit notamment la bataille pour l'adoption du principe d'une Convention sur la désertification, principe finalement accepté par le Sommet de Rio. Cette convention entrera en vigueur quelques années plus tard, presque en même temps que les deux autres conventions (biodiversité et climat) acceptées par la communauté internationale à Rio.

---

2. Action 21 est un programme des Nations Unies en faveur du développement durable au 21ᵉ siècle; programme qui se veut le reflet, comme l'indique son préambule, d'un «consensus mondial» et d'un «engagement politique au niveau le plus élevé sur la coopération en matière de développement et d'environnement».
Voir www.un.org/french/ga/special/sids/agenda21/action1.htm.

Entre l'accord de principe concernant ces trois conventions, leur mise en place et leur mise en œuvre, de longues négociations sont engagées par les comités intergouvernementaux chargés de cette difficile tâche. Trois groupes d'experts francophones sont alors créés et chargés d'accompagner les tractations en cours. Pour l'accomplissement de leur tâche, ces groupes d'experts bénéficient des perspectives convergentes établies à Tunis, de leur mise à jour à l'occasion de plusieurs rencontres ministérielles francophones à Buenos Aires en 1996, à Dakar en 1998 et à Ouagadougou en 2000, et aussi de leurs rencontres avec les négociateurs internationaux, qu'ils accueillent à plusieurs reprises et notamment lors de la rencontre internationale tenue à Marrakech en 2002. Au cours de ces négociations, la Francophonie a occupé une place considérable, marqué les travaux de ses priorités, assuré une forte présence des experts francophones en faisant élire plusieurs d'entre eux à des postes de responsabilité dans la quasi-totalité des comités et sous-comités chargés de la négociation[3].

Les mêmes démarches sont conduites à l'occasion de nombreuses concertations ou négociations internationales : Forum intergouvernemental pour les forêts, Groupe intergouvernemental sur l'énergie et le développement durable, Sommet du développement durable tenu à Johannesburg en 2002, Conférence de Paris pour une gouvernance écologique mondiale en 2007. Dans tous ces cas, la Francophonie a maintenu une forte mobilisation et participation ; elle a de plus créé des espaces spécifiques pour permettre le débat en langue française entre les francophones eux-mêmes et avec tous les autres participants.

---

3. Sibi Bonfils et Sory Diabaté, *Une décennie de concertation francophone sur l'environnement et le développement durable à l'IEPF*, document interne, p. 3.

Un thésaurus en langue française

Lancée à la fin des années 1980, cette mobilisation a traversé l'enchaînement des millénaires et, sans conteste, a contribué au développement des compétences et au renforcement des capacités des États et gouvernements francophones. Elle a facilité leur mise en réseaux et la reconnaissance de leurs experts, établi la communauté francophone comme un fournisseur de contenu et une composante respectée dans la négociation mondiale sur l'environnement. Elle a enfin produit l'Initiative francophone de partenariat pour le mécanisme de développement propre, lancée à Montréal en 2005[4] et contribué à la préparation de projets de gestion durable des sols admissibles au Fonds pour l'environnement mondial. Plus de 20 de ces projets de financement ont été acceptés. Enfin, cette mobilisation a permis d'établir un thésaurus en langue française sur le développement durable et sur le contenu des trois conventions découlant du Sommet de Rio.

Cette production de savoir en français est largement diffusée à travers le monde. Depuis 20 ans, la revue scientifique *Liaison Énergie-Francophonie* a rassemblé les plus importantes signatures francophones et autres du domaine. Depuis une décennie, le bulletin *Objectif Terre*, feuille de route préparée par l'Institut et publiée avec l'appui du gouvernement français donne, en temps réel, une information factuelle et exhaustive concernant les trois conventions issues de ce Sommet. Enfin, ce sont plus de 100 guides techniques, monographies et manuels spécialisés, souvent les seuls ouvrages du domaine en langue française, qui ont été produits et diffusés par l'Institut dans l'espace francophone et dans le monde.

---

4. IEPF, *Faits marquants dans les activités de la période 2002-2005*, document interne, p. 2.

Cette production de savoir en français a normalement emprunté les voies offertes par les technologies de l'information et des communications, dont le système mondial d'information francophone connu sous l'appellation *Médiaterre* (www.mediaterre.org) constitue une formidable illustration. El-Habib Bennesarahoui, ancien directeur de l'IEPF, décrit ce système comme suit:

> C'est un système de mutualisation, d'échanges et de diffusion de l'information qui fédère une vingtaine de centres de ressources autour de portails régionaux, couvrant à ce jour une grande partie de nos régions, des sites avec portails thématiques (biodiversité, énergie, désertification, changements climatiques, modes de production et de consommation durables, eau, forêts, gouvernance...) et des sites d'acteurs (scientifiques, jeunes, femmes, parlementaires). Il fait actuellement référence au niveau mondial avec 23 portails thématiques, régionaux et d'acteurs, avec plus de 2 500 dépêches (auxquelles sont attachés documents, rapports) en 2007, rapportant des informations essentielles de tout l'espace francophone et notamment du Sud. Le système a accueilli au cours de l'année 2007 plus de 10 000 visiteurs par jour qui ont vu au cours de l'année plus de 20 millions de pages, soit 70 000 pages par jour. Le système est référencé par plus de 25 000 sites et est identifié parmi les tout premiers sites par les grands moteurs de recherche à la requête «information développement durable» en français.

Des partenariats féconds

Cette production de savoir a suscité la mise en place et permis le développement de nombreux partenariats avec des institutions de haut savoir dans l'espace francophone. En Afrique centrale, avec l'École nationale supérieure polytechnique (ENSP) de Yaoundé autour des questions posées par l'efficacité énergétique; en Afrique de l'Ouest, avec l'École inter-États d'ingénieurs de l'équipement rural (EIER) de Ouagadougou sur la maîtrise de l'énergie; en Amérique du Nord, avec l'Université de Sherbrooke sur la réglementation de l'industrie électrique; au Maghreb, avec le Centre de développement des énergies renouvelables de Rabat, en Europe, avec un grand nombre d'universités françaises et belges, pour ne citer que ces exemples.

Enfin, cette production de savoir et, plus largement, les initiatives prises par l'Institut ont bénéficié de l'appui de plusieurs sociétés nationales chargées de la responsabilité énergétique telles Hydro-Québec et Électricité de France ainsi que de très nombreuses institutions continentales et internationales, dont notamment l'Union européenne et l'Union africaine, la Banque mondiale, la Banque africaine de Développement, le Programme des Nations Unies pour le développement et le Programme des Nations Unies pour l'environnement. Ces partenariats sont venus enrichir la définition et la conduite du programme de la Francophonie en matière de développement durable où se conjuguent science, information, concertation, négociations et politique, préoccupations locales et perspectives mondiales, intérêts des pays dits développés, des pays émergents et des pays en développement.

L'idée de la Francophonie est une idée collective; elle se concrétise par la participation du plus grand nombre, qui la fait vivre et la fait rayonner. Ce qui vient d'être évoqué constitue une immense opération reposant sur la conviction que la Francophonie existe, qu'elle peut mettre en œuvre une solidarité agissante pour ceux et celles qu'elle rassemble. Dans ce cas, une solidarité des francophones indissociable d'une mutualité encore plus inclusive puisqu'elle porte sur des matières affectant toute l'humanité. D'un côté, la réalité des personnes et leurs besoins quotidiens. De l'autre, leur appartenance à une même humanité sollicitée par des nécessités communes et impératives. Tels sont les antipodes du développement durable. Tels sont les stimuli «pour créer du nouveau ensemble».

En prenant sa part de responsabilité dans la construction du développement durable, la Francophonie a montré qu'elle n'est pas une entité frileuse, défensive et fermée sur elle-même. Elle a aussi démontré sa capacité à rechercher et à produire des convergences entre ses États et gouvernements membres et à les faire partager, en tout ou en partie, par la communauté internationale. L'entreprise a été lancée au Sénégal, poursuivie en Tunisie, approfondie à l'occasion de nombreuses rencontres en Europe, en Amérique, en Asie du Sud-Est, en Afrique centrale, au Proche-Orient, dans les Caraïbes et dans la région de l'océan Indien. Elle a été conduite en français y compris à Rio, à New York, à Genève, à Johannesburg, à Buenos Aires et à Tokyo entre les francophones présents et en présence de l'ensemble des composantes de la communauté internationale.

La ville et l'université

L'engagement de la Francophonie en matière de développement durable ne se limite pas aux seules interventions, si importantes soient-elles, de l'Institut de l'énergie et de l'environnement installé à Québec. En conformité avec les domaines privilégiés d'intervention retenus au Sommet de Ouagadougou, dont le développement durable et la solidarité, certains opérateurs de la Francophonie ont inscrit ce domaine dans leur offre de coopération.

Ainsi, l'AUF a fait de l'environnement et du développement durable l'un de ses grands programmes. Elle vient en appui à neuf réseaux de chercheurs multilatéraux rassemblant des équipes en provenance de toutes les régions de la Francophonie et coordonnant leur recherche dans un grand nombre de domaines : démographie, télédétection, amélioration des plantes et de la sécurité alimentaire, érosion et gestion conservatoire des eaux et des sols, génie des procédés appliqués à l'agroalimentaire, lutte contre les maladies parasitaires vectorielles, analyse économique et développement durable. Sous ces catégories d'ensemble, ce sont plus de 26 thèmes de recherche qui sont approfondis en réseau par les 3 587 chercheurs associés à ce grand programme. Les résultats de leurs recherches sont rendus disponibles, notamment sur neuf sites Internet spécialisés, et les diverses publications électroniques ou imprimées sur papier sont soutenues par l'AUF.

Pour sa part, l'AIMF investit dans le financement des équipements publics locaux et dans la restructuration du tissu urbain de grandes villes du Sud. De plus, elle donne son appui au développement de structures sanitaires municipales, au traitement des déchets, à l'assainissement et à l'alimentation en eau potable et à des centres de santé de base.

La question du développement durable fédère un grand nombre d'investissements de la communauté qui déborde les éléments retenus dans ce chapitre. À la vérité, elle englobe l'ensemble des domaines retenus comme prioritaires par la Francophonie et sa recherche constante de partenariats et de ressources. À l'occasion du Symposium francophone de mai 2004 consacré à l'accès aux financements internationaux, cette vision mondiale est apparue avec force. Dans les modestes installations de l'OIF, quai André-Citroën à Paris, les principales organisations internationales et régionales, les grandes institutions financières et les Banques de développement réunies par la Francophonie inventoriaient l'état du monde, c'est-à-dire d'un monde confronté à de multiples situations complexes et difficiles, et témoignaient du besoin de délibération, de convergence et d'action. Alors, tous les domaines étaient comme intégrés dans une unique perspective, celle du développement durable.

CONCLUSION

L'espace mondial est aujourd'hui occupé par de multiples démarches mondialistes comme autant d'intentions de marquer les territoires matériel et immatériel de l'humanité, l'organisation de la communauté internationale et la vie des sociétés. Certaines de ces démarches ont débouché sur la mondialisation. D'autres ont émergé de la mondialisation.

Les premières ont leur origine en Occident dans la déclinaison chronologique évoquée précédemment; dans un premier temps, l'Europe et, depuis un demi-siècle, les États-Unis d'Amérique. Ces démarches ont présidé à l'ordonnancement de la communauté internationale dans la période moderne et contemporaine et nourri les catégories qui structurent notre compréhension du monde et notre intervention dans celui-ci: l'État de droit et l'économie de marché posés comme des valeurs universelles. Elles ont présidé à la création de la science moderne, installé les langues occidentales sous toutes les latitudes et dominé l'offre culturelle mondiale. Enfin, elles ont inspiré l'architecture des organisations internationales tout au long du siècle précédent. Ces démarches ont dominé la planète depuis quatre siècles dans une position conquérante incontestable et leur force d'attraction est toujours considérable.

Les secondes émergent de la mondialisation. Effet d'un paradoxe considérable, l'ouverture de l'espace mondial les a rendues possibles en raison des transferts massifs de ressources et de capacités et comme expression de nouvelles ambitions en provenance de toutes les régions du monde, et notamment de l'Asie. Le vocabulaire est ici révélateur. Ne dit-on pas de nombreux pays qu'ils sont émergents?

Dans un premier temps, on a cru de ce côté-ci de la planète que «l'assaut» était et demeurerait économique et commercial. Graduellement, cependant, l'idée d'une transition vers autre chose qui est en train d'advenir s'est imposée. Nous savons maintenant que ces nouvelles ambitions sont plus étendues et pourraient conduire à un renouvellement du contrôle de l'économie mondiale et des capacités de maîtriser la production de la science, de la recherche et du développement. Nous savons aussi que ces ambitions s'étendent aux vastes champs culturel et linguistique. Bref, ces autres démarches témoignent d'un monde en gestation, un monde multipolaire et concurrentiel à tous les niveaux. Elles laissent entrevoir une nouvelle configuration géopolitique qui pourrait définir le XXIe siècle.

Ces positionnements ont déjà marqué la vie internationale. Ils ont mis un frein à presque toutes les grandes négociations lancées à la fin du siècle dernier, celles devant produire de grandes zones de libre-échange dites de la seconde génération, celles devant conduire à la réforme du système onusien y compris le Conseil de sécurité, celles visant la mise à jour des constitutions et pratiques institutionnelles de la Banque mondiale et du Fonds monétaire international, celles menées au sein de l'Organisation mondiale du commerce et devant donner ses pleins effets au cycle inauguré à Doha, celles enfin devant renouveler les normes et les contrôles susceptibles de contenir la prolifération nucléaire. Ce qui se produit a peu à voir avec les postures tactiques convenues, les ruptures stratégiques et les temps morts marquant toutes les grandes négociations. Ces dernières sont suspendues comme une conséquence du nouveau rapport de force dans le monde. « On ne peut rien nous imposer, nous ne pouvons plus rien y imposer[1] », constate Védrine en faisant référence à l'OMC. Bref, certains s'inquiètent de la vacuité des règles d'un système international contesté par les nouvelles puissances. D'autres sont au travail pour déterminer les nouvelles règles susceptibles de soutenir et de réguler la nouvelle vitalité du monde.

Le besoin de délibération

De toute évidence, la pluralité des démarches mondialistes crée une situation inédite, met à mal les catégories convenues des rapports de puissance et plonge la communauté internationale dans une espèce de prostration dangereuse, un temps d'incertitude et d'instabilité. Certains rêvent d'un retour aux équilibres anciens là où s'impose la recherche d'équilibres nouveaux. D'où le besoin de délibérations pour relancer la quête commune concernant la reconnaissance des biens publics mondiaux, l'endiguement des menaces et des risques à l'échelle planétaire et les conditions d'un développement équitable pour une humanité qui comptera près de 10 milliards de personnes au milieu du siècle. D'où l'importance de promouvoir une culture de la délibération et de valoriser les lieux où elle se pratique toujours. Rappelant tout ce qui précède dans ce livre, il est certain que la Francophonie, à sa mesure, constitue l'un de ces lieux.

---

1. Hubert Védrine, *op. cit.,* p. 122.

Une coopération d'influence

La Francophonie est fortement interpellée par ces changements du monde. La Chine, comme nous l'avons vu, est en train de s'installer sur le continent africain et son appétit pour les énergies fossiles n'épuise pas ses visées sur le continent[2]. Il n'est pas impossible par ailleurs que le projet de consolidation et de structuration «du monde russe» intéresse certains pays de l'Europe centrale ou orientale. La question du positionnement de la communauté francophone dans la nouvelle configuration géopolitique et, plus précisément, dans le nouvel espace culturel mondial, est posée tout comme la question radicale de son maintien dans la moyenne et longue durée. Elle se pose et se posera pour un grand nombre d'organisations.

De l'examen de la composition de la communauté francophone, de sa gouvernance, des valeurs qu'elle a fait siennes et des coopérations qu'elle déploie se dégagent quelques enseignements d'ensemble constituant, peut-être, des éléments de réponse à cette question et faisant apparaître aussi des défis qu'il lui faudra relever.

La signature respectée et la notoriété indiscutable de l'Organisation internationale de la Francophonie ainsi que la coopération d'influence qu'elle a conduite lui a permis de se positionner comme un acteur mondial et d'être reconnue sur la scène internationale. À preuve :

– Sa coopération avec l'Organisation des Nations Unies consignée, à 10 ans de distance, dans deux résolutions de l'Assemblée générale en date des 17 octobre 1997 et 18 octobre 2006 et dans des accords de coopération portant les signatures des secrétaires généraux des deux organisations. En application de ces résolutions et accords, l'OIF a multiplié les consultations et les actions conjointes

---

2. Adama Gaye, *Chine-Afrique, le Dragon et l'Autruche*, Paris, l'Harmattan, 2006.

avec le département du secrétariat général de l'ONU chargé des questions politiques et avec plusieurs organisations de la famille onusienne, dont l'UNESCO, l'UNICEF, le PNUD, le Haut Commissariat pour les droits de l'homme, l'Organisation mondiale de la santé (OMS) et l'OMPI. Les bénéfices de cette coopération pour la Francophonie et ses États membres sont considérables : accès privilégié aux tables de concertation et de décision de l'ONU, accès à ses ressources y compris financières et, en conséquence, capacités enrichies d'intervention dans les pays membres, visibilité de la communauté francophone et présence mieux assurée de la langue française dans ces instances supérieures. Cette coopération est enviée par les autres communautés culturelles comparables, comme l'est aussi la venue du secrétaire général de l'ONU au Sommet francophone.

— Sa participation et, dans plusieurs cas, sa direction des groupes d'intervention composés des représentants des Nations Unies, de l'Union européenne, de l'Union africaine et de plusieurs autres organisations internationales ou régionales chargées d'intervenir dans des situations de crise ou de conflit, ou de contribuer à la mise en place des conditions de la reconstruction. Il en va de même pour la recherche des meilleures pratiques de prévention des conflits et des mécanismes d'alerte précoce où se retrouve aux tables de la Francophonie l'ensemble des acteurs internationaux. Dans le chapitre consacré à la Francophonie politique, de nombreuses situations où les représentants de la communauté ont joué un rôle prépondérant dans ces groupes d'intervention ont été inventoriées. Tel fut le cas notamment en République démocratique du Congo et en Haïti. Ces participations constituent autant de reconnaissance des compétences et des capacités de la Francophonie et autant de leviers pour l'usage de la langue française.

— Sa capacité de construire ou de participer à des coalitions portant sur des biens publics mondiaux. Tel fut le cas d'abord pour l'aventure qui a conduit à l'adoption de la Convention sur la protection et la promotion de la diversité des expressions culturelles. Tel fut le cas dans le long travail qui a conduit à l'adoption par l'Assemblée générale des Nations Unies de la résolution sur la reconnaissance du plurilinguisme. Tel fut le cas aussi pour l'inscription de la question de la désertification à l'agenda de la Conférence de Rio et la bataille conduite et gagnée pour qu'elle fasse l'objet d'une convention internationale. Pour la bataille conduite et gagnée à l'occasion de la même conférence pour le respect plein et entier des langues officielles des Nations Unies, politique qui s'imposera pour l'ensemble des conférences et sommets mondiaux tenus à la fin du siècle dernier. Tel fut le cas enfin dans son implication vigoureuse en appui à la création de la Cour pénale internationale et du Conseil des droits de l'homme des Nations Unies, pour ne citer que ces exemples.

L'appui de la Francophonie à ces initiatives ne constitue pas uniquement une pétition de principe même si cette dimension est majeure. Stratégiquement, cet appui lui a permis de maintenir une présence et d'exercer son influence, y compris linguistique, dans les instances chargées de donner leurs pleins effets à ces initiatives. Tel qu'il a été établi clairement pour l'ensemble des activités qui ont suivi le Sommet de Rio, dans la mise en œuvre de la Convention sur la diversité culturelle et la mise en place du nouveau Conseil des droits de l'homme des Nations Unies, où la présence des États membres ou observateurs de l'OIF est significative.

Cette politique d'affirmation et de défense, ces initiatives régulatrices sont peu connues et mal appréciées dans la communauté. Leur portée, y compris linguistique, n'en est pas moins considérable. Elles ont contribué incontestablement à la réputation de la Francophonie comme un acteur actif et respecté de la communauté internationale et à la présence de la langue française dans de nombreux forums internationaux.

– Ses initiatives pour renforcer ses capacités financières, grâce à des partenariats avec la Banque mondiale, les Banques régionales de développement et l'Union européenne parmi d'autres institutions. Dans les chapitres consacrés à la coopération conduite par l'OIF et ses opérateurs, il a été signalé pour chacun d'eux les accords de financement qui les unissaient à ces organisations. Ce renforcement des capacités financières doit être compris pour ce qu'il est, soit une confirmation de la pertinence des coopérations définies et déployées par la Francophonie.

Ce renforcement des capacités financières a conduit à des investissements plus substantiels de la Francophonie dans les systèmes scolaires en Afrique subsaharienne, la formation des maîtres et la production de manuels scolaires ; à l'extension du réseau des CLAC, ces maisons de la culture installées dans près de 20 pays francophones ; à la création et au développement du MASA, peut être la plus importante plate-forme de promotion culturelle sur le continent ; à la formation linguistique (en français) de milliers de fonctionnaires européens ; à la présence des francophones dans l'ensemble des suivis du Sommet de Rio ; au règlement des crises politiques et à la reconstruction des États et sociétés de la communauté qui en ont été les victimes, pour ne citer que ces exemples.

– Son action pionnière pour rassembler les responsables des communautés hispanophone, lusophone et arabophone et déterminer avec eux les champs possibles de leur collaboration dans les domaines linguistiques et technologiques comme le montre la programmation de l'AUF.

Cette coopération a tout naturellement trouvé sa légitimité et sa justification à l'occasion de la préparation, de la négociation et de l'adoption de la Convention sur la diversité culturelle. À l'invitation du secrétaire général de la Francophonie, ses homologues des autres communautés ont réuni, le 26 octobre 2004, au siège de l'UNESCO, les chefs de délégation de leurs 80 pays membres. Spectaculaire, cette manifestation a montré leur potentiel politique concernant la culture dans une perspective mondiale. Un an plus tard, elles adoptaient une déclaration appelant les gouvernements du monde à embrasser la convention. La lecture de cette déclaration dans l'enceinte principale de l'UNESCO a eu un retentissement considérable.

– Enfin, on ne saurait exagérer l'importance du travail accompli par l'OIF pour combler l'écart entre les instruments internationaux et les pratiques nationales dans de très nombreux domaines. Outre les demandes expresses formulées par les sommets, les appels du secrétaire général[3] et ceux formulés par l'APF recensés précédemment[4], la Francophonie a œuvré pour combler le déficit de participation de ses États membres en assurant leur présence en amont et en aval de l'adoption de ces instruments internationaux. Comme démontré dans le domaine du développement durable en inventoriant le travail de l'IEPF et dans le domaine de la gouvernance démocratique et des droits humains.

Sans céder à une complaisance détestable, il est juste de qualifier ce bilan quantitatif et qualitatif de substantiel. Il révèle que la Francophonie n'est pas un mouvement centré étroitement sur lui-même, absorbé par une obsession revendicatrice et un positionnement défensif rivé à un *statu quo* périmé. Ce bilan montre sa capacité à proposer, à participer et à intervenir concernant l'établissement et la défense de biens publics mondiaux et à les faire reconnaître en fonction de ses intérêts culturels et linguis-

---

3. OIF, *Abdou Diouf et Louise Arbour appellent les États membres de l'OIF à la ratification des instruments internationaux relatifs aux droits de l'homme et à leur mise en œuvre*, Communiqué, 10 décembre 2007.
4. Voir *supra* p. 160.

tiques. De plus, il établit son aptitude à développer des partenariats sur objectifs avec une constellation d'institutions internationales, continentales et régionales et à les amener à épouser ses choix stratégiques. Bref, ce bilan indique que la Francophonie a réussi son positionnement dans la nouvelle configuration géopolitique découlant de la mondialisation. Certes, elle n'exerce pas un magistère de puissance. Telle n'est pas sa mission. Elle exerce cependant une coopération d'influence et a contribué réellement à libérer des énergies, à fédérer des volontés, à développer l'usage de la langue française et à concourir à sa présence sur la scène internationale et, finalement, à inscrire dans l'histoire quelques balises d'importance.

Une coopération d'action

Les défis qui se posent à la Francophonie au XXIe siècle ont fait l'objet d'observations et de propositions tout au long de ce livre. Il serait superflu de les redire ici. Voici donc quelques questions d'ensemble qui semblent primordiales pour le maintien et l'enrichissement de la coopération d'action qu'elle déploie avec détermination : la consolidation de son positionnement international, évoqué précédemment ; la cohésion de la communauté ; l'équilibre entre ses missions politiques et de coopération ; et le changement d'échelle requis dans ses interventions compte tenu de la concurrence nouvelle qui se déploie dans l'espace culturel mondial.

La cohésion

Selon le Grand Larousse, le terme cohésion réfère « à un ensemble dont toutes les parties sont solidaires ». Notre autre dictionnaire, des synonymes et des antonymes, précise et élargit : solidaire ou « associé, dépendant, engagé, joint, lié, obligé, uni, responsable ». Le registre est surabondant !

La cohésion de la Francophonie concerne les quatre questions suivantes:

- l'acceptation et la gestion de la diversité de ses États et gouvernements membres;
- la prise en compte de sa dimension Nord-Sud;
- le nécessaire dépassement des catégories qui distinguent toujours les francophones de l'Hexagone et tous les autres;
- le besoin d'une nouvelle concertation pour débattre et décider d'un changement d'échelle de la coopération multilatérale francophone, compte tenu de la nouvelle concurrence qui désormais se déploie dans l'espace culturel mondial.

De nouvelles frontières

Les francophones doivent se réconcilier avec la composition apparemment hétéroclite de leur communauté. Certains jugent l'arrivée d'un grand nombre de pays qui ont une relation éloignée avec cette langue comme une faiblesse. Ceux-là affirment que ces pays sont peu susceptibles de se mobiliser et de s'investir dans le maintien et la promotion du français comme grande langue internationale.

Les locuteurs dont la langue française est la langue maternelle totalisent un peu moins que la population de l'Allemagne. Ramenées à ce noyau dur, les chances du français de conserver son statut de grande langue internationale au XXIe siècle sont nulles. Ni la France, ni le Québec n'y peuvent rien. Comme énoncé dans l'avant-propos, la géographie physique, historique, culturelle et linguistique de la Francophonie lui donne des assises dans toutes les régions du monde et des liens avec plusieurs aires de civilisation: l'africaine, l'arabophone, l'asiatique et l'européenne. Cette position a rendu la communauté possible. Elle a contribué à son développement. Elle lui a permis de conduire la coopération d'influence décrite précédemment.

Concernant les pays récemment admis, il importe de considérer leur intérêt pour la communauté comme la validation de ce que les francophones accomplissent ensemble considérant notamment les motifs qu'ils ont évoqués pour justifier leur candidature[5]. Dans cette perspective, leur présence doit être appréciée comme un enrichissement virtuel d'importance, une nouvelle frontière pour l'expansion de l'usage de la langue française et son utilisation dans les domaines et les forums où autrement elle aurait une présence au mieux limitée.

Ce n'est pas la présence de ces pays qui fait problème, mais bien le peu d'exigences que nous avons manifesté en contrepartie de leur volonté d'adhésion. Le défi consiste à combler cette insuffisance et à faire évoluer la situation dans le sens des valeurs et des intérêts, y compris linguistiques, de la communauté. L'objectif de cet ouvrage a été de proposer la définition et la mise en œuvre d'un pacte linguistique susceptible de contribuer à l'atteinte de ces objectifs. Ce pacte devrait notamment prévoir des filières d'apprentissage de la langue française dans les systèmes éducatifs de tous ces pays. La tâche est possible, complexe et indispensable. Elle est, en partie, amorcée. En effet, tel qu'il a été montré, des projets considérables dédiés à la langue française sont en voie de réalisation en Europe centrale et orientale[6].

Si la Chine, l'Inde et la Russie comptent sur leur diaspora pour assurer la progression de leur langue et le rayonnement de leur culture dans des pays à conquérir, la Francophonie doit considérer sa présence officielle et institutionnelle dans de nouvelles régions du monde comme une opportunité exceptionnelle. Elle doit saisir l'occasion et y constituer des relais durables autour d'une langue qui compte pour l'une des «cinq ou six langues de culture et de civilisation[7]».

---

5. Voir *supra* p. 130.
6. Voir *supra* p. 132.
7. Hubert Védrine, *op. cit.*, p. 32.

L'atteinte de cet objectif appelle sans doute de nouvelles formes de mutualisation des ressources des pays de la communauté et l'utilisation maximale des technologies de l'information et des communications. Elle implique aussi des investissements majeurs pour faire accéder tous les pays de la communauté à l'ère numérique. Peut-être faut-il créer une agence spécialisée pour fédérer les initiatives. Peu importe les formules proposées et éventuellement retenues, la concurrence linguistique qui se dessine dans le nouvel espace culturel mondial exigera de la communauté francophone une position plus offensive et des investissements conséquents. Qu'elle puisse les effectuer en priorité dans des pays qui ont sollicité leur adhésion à la communauté et sur un continent où se jouera en partie le destin de la langue française au XXIe siècle constitue, sans conteste, une opportunité extraordinaire.

L'Afrique

Au plan géopolitique, les multiples démarches mondialistes évoquées précédemment, les intérêts et les ambitions qu'elles révèlent, ont des répercussions dans toutes les régions du monde et notamment sur le continent africain. Les États-Unis, la Chine, l'Inde, le Brésil et d'autres s'y engagent avec force et y engagent des ressources considérables.

On aurait tort de ramener ces investissements à la seule dimension de l'accès aux ressources énergétiques et naturelles, même si cet accès est de fait recherché sur le continent comme il l'est aujourd'hui dans toutes les régions du monde. En effet, les intentions sont plus vastes. Elles ont à voir avec la création à nouveau de zones d'influence, de relais politiques fiables, d'appuis éventuels dans les organisations internationales. Elles concernent aussi la conquête du vaste marché africain pour les technologies adaptées, l'aménagement urbain, le secteur des services et plus largement la consommation courante sur un continent qui comptera 1,2 milliard d'habitants dans 25 ans.

Ces nouvelles conduites des puissances se déploient aux plans politique, de la coopération et de la culture.

– Au plan politique, les initiatives nouvelles se multiplient : Sommet Chine-Afrique, Sommet Inde-Afrique, visites répétées des chefs d'État et des ministres des Affaires étrangères au siège de l'Union africaine et dans les capitales du continent, missions économiques et commerciales de haut niveau. Le continent africain intéresse et son poids politique est à nouveau pris en compte.

– Au plan de la coopération, les investissements sont considérables et dans de nombreux domaines : mise en place ou restauration des infrastructures, gouvernance et aménagement urbain, habitat social, agriculture, systèmes d'éducation et de santé.

– Au plan de la culture et du savoir, on observe la création de centres culturels dont les fameux centres Confucius, des contributions à la rénovation des systèmes télévisuels et des appuis majeurs aux institutions de haut savoir qui, selon le mot d'un recteur d'une grande université de l'Afrique centrale, débordent « nos rêves les plus fous ».

Pour leur part, les pays francophones du Nord sont habités par la « tentation d'abandon », selon l'expression d'Hubert Védrine[8]. Ils s'en remettent, dans le cas des pays de l'Ancien Continent, « à la solution dite d'européanisation qui ne peut être que partielle, ou alors c'est un leurre et une démission : il n'y a pas de volonté à vingt-sept pour mener une vraie politique africaine, tout juste une politique d'aide très conditionnée, ce qui ne répond plus aux besoins à l'heure où l'Afrique utilise, elle aussi, les opportunités de la globalisation[9] ».

---

8. Hubert Védrine, *op. cit.*, p. 141.
9. *Ibid.*

Dans le cas du Canada, on a le sentiment d'un abandon programmé voilé par des contributions aux institutions financières multilatérales dont les politiques ont tant nui au continent.

Dans tous les cas, on réfère aux normes établies par l'OCDE qui sont débordées par les vastes mouvements qui recréent la relation du continent aux puissances et des puissances vers le continent.

Cette « tentation d'abandon » se répercute aux tables de la Francophonie où elle est ressentie par plusieurs représentants des 29 pays africains membres et ceux des 2 autres pays africains, associé et observateur, comme la source d'un discours flou au sujet d'une priorité oubliée.

Comme nous l'avons affirmé à plusieurs reprises, l'Afrique est constitutive de la communauté francophone. Elle lui fournit 50 % de ses membres, la majorité des locuteurs actuels de la langue française, la moitié d'un continent et, en raison de sa démographie, son seul espace pour une croissance de grande portée. Sans l'Afrique, la langue française sera vraisemblablement parlée par 100 millions de personnes en 2025. Avec l'Afrique, ce chiffre est quintuplé. Chacun peut mesurer les effets respectifs de ces deux projections sur le poids, l'influence et le statut de cette langue au XXIe siècle.

Ces données majeures n'épuisent pas les motifs de mobilisation de la communauté francophone pour sa composante africaine. Ces motifs sont de divers ordres : éthiques, tant le continent est victime d'un manque flagrant d'équité qui caractérise les relations internationales et notamment le commerce international ; humanitaires, en raison de la fracture sociale et économique qui sépare toujours le continent de la croissance et du développement commun et aussi du grand nombre de crises qui accentuent cette fracture. Enfin, la Francophonie ne peut considérer l'Afrique comme un corps étranger, une autre région du monde sans plus. Le continent constitue une partie d'elle-même, comme le prouve sa contribution historique à la création et au développement d'une communauté qui porte les signatures de Senghor, de Diori et de Bourguiba.

Depuis sa création, les Africains francophones ont mis leur confiance dans le projet francophone. Ils ont participé à son développement et ont cru à ses promesses. Ils ont été des partenaires loyaux, disponibles et fraternels. Enfin, ils ont inclus le projet francophone dans leur vision du monde et dans la pratique de leur politique étrangère et lui ont assuré une visibilité publique sans équivalent ailleurs dans l'espace francophone. Certes, ils ont bénéficié de la coopération francophone comme nous l'avons montré tout au long de cet ouvrage. Mais ils y ont aussi apporté une contribution certaine, y compris financière. D'ailleurs, une comptabilité rigoureuse de la répartition des bénéfices réserverait vraisemblablement des surprises !

Dans la perspective du développement de la communauté au XXIe siècle, la politique africaine de la Francophonie doit être déployée en tenant compte des exigences suivantes :

– L'appui indéfectible aux initiatives susceptibles d'inclure le continent dans le mouvement de croissance qui, ces dernières décennies, a changé le monde et contribué à un rééquilibrage dans le partage des ressources, la maîtrise des leviers de la croissance et la distribution de ses bénéfices. Cet appui devrait notamment se répercuter dans les priorités des politiques de coopération des États nantis de la Francophonie et aussi dans le développement de nouveaux modèles de coopération telle la coopération décentralisée entre régions, villes, universités, écoles, groupes professionnels. La France innove dans ce domaine et son exemple devrait inspirer l'ensemble de la communauté.

– L'absolue nécessité d'éradiquer l'illettrisme de tous les pays francophones du continent. Telle devrait être la priorité de la communauté francophone, et des coopérations de ses pays les mieux nantis en lien avec les gouvernements africains qui en sont normalement les maîtres d'œuvre et en partenariat avec les organisations financières ou culturelles internationales, les Banques de développement, les grandes fondations, les ONG du domaine et la contribution des entreprises et des citoyens de l'espace francophone. La situation actuelle est intolérable et on dit que si les choses restent en l'état, elle se dégradera encore davantage. Comme nous l'avons affirmé précédemment, les droits humains, les exigences du développement, y compris démocratique, et l'intérêt de la Francophonie convergent. Il est scandaleux de constater que dans plusieurs pays francophones, au XXIe siècle, une majorité d'enfants n'iront pas à l'école une seule journée dans leur vie.

Faut-il créer une agence francophone de l'éducation comme on en a fait la proposition au président de la République française en préparation du Sommet de Québec ?

Faut-il créer un comité international de haut niveau chargé de la gestion et de la recherche des financements requis pour la mise en œuvre d'une initiative d'envergure comme jamais la Francophonie n'en a connu dans son histoire ?

Les États et gouvernements constituant la communauté francophone ont le choix de la formule. Ils ne sauraient cependant fuir leur responsabilité et reporter indéfiniment le règlement d'une situation aussi contraire aux valeurs affirmées de la Francophonie.

Dans le même domaine de l'éducation, mais cette fois au niveau de l'enseignement supérieur, la contribution de l'AUF aux institutions du continent est convaincante. Elle doit être confortée et enrichie.

– L'inclusion des pays africains, membres de la communauté, dans l'ensemble de ses projets majeurs et une vigoureuse politique de restauration dans tous les cas où cette nécessité aurait été mise à mal. On pense notamment à

TV5Monde qui, dans cette période de réforme, est restée étrangement silencieuse à propos de la mise à niveau de sa composante africaine. L'OIF a créé un programme de développement des industries culturelles. Ce programme doit être enrichi substantiellement et réservé pour un temps aux créateurs du Sud. Cette mise à niveau s'impose, et de façon urgente, tant leur détachement de la Francophonie, déjà amorcé, constituerait un appauvrissement radical, une faille impossible à combler. Il faudrait alors rayer de la rhétorique francophone toute référence au « dialogue des cultures ».

Concernant la production culturelle en général et la production audiovisuelle en particulier, la Francophonie a et aura besoin de l'apport de toutes ses composantes, y compris son importante composante africaine, pour occuper une place importante et proposer une offre diversifiée dans le nouvel espace culturel mondial.

Il en va de même pour l'appropriation de la révolution numérique par la Francophonie et la vaste entreprise de numérisation de ses patrimoines, créations culturelles et productions intellectuelles, scientifiques, technologiques, industrielles et commerciales. À moins de laisser le champ libre à la coopération chinoise ou américaine, déjà à l'œuvre dans ces domaines sur le continent africain.

– Enfin, puisqu'il faut choisir, la question de la circulation des personnes dans l'espace francophone doit, elle aussi, retenir l'attention prioritaire des pays et gouvernements de la communauté. Sa dimension africaine est indiscutable. Les murailles réglementaires et bureaucratiques actuelles sont ressenties comme une négation de l'idée même de la Francophonie. Elles créent un sentiment de répulsion, notamment parmi les nouvelles générations qui, nos routes étant bloquées, empruntent celles de l'Amérique et de l'Asie qui leur sont plus accessibles. Il ne s'agit certes pas d'ouvrir les frontières sans autre condition. Il s'agit cependant de les déverrouiller en développant une politique de préférence francophone qui soit réelle, responsable et durable. La pérennité de la situation actuelle conduit et conduira à la désunion, à l'effritement de la cohésion de la communauté et finalement à son rejet par un grand nombre. Un séjour, même bref, sur un campus africain suffit pour prendre la mesure des effets dramatiques d'une situation ressentie comme discriminatoire et inéquitable. La circulation des personnes doit être rendue plus fluide dans l'espace francophone. On pourrait prendre exemple sur la Communauté des pays de langue portugaise, qui vient de décider d'une politique d'ouverture en ce sens.

Dans le monde tel qu'il se reconstitue, les pays du continent disposent d'une nouvelle marge de manœuvre quant à leurs alliances et partenariats internationaux et cette marge ira croissante. Leur loyauté à l'endroit de la Francophonie est toujours tangible et la présence de leurs ressortissants dans les multiples réseaux de la communauté, substantielle. L'est aussi ce malaise sensible qui ne dit pas son nom et qui résulte sans doute de cette tentation d'abandon évoquée précédemment. Pour la Francophonie, cet abandon équivaudrait à la négation d'un passé commun, à une perte d'identité et, à terme, à une inexorable marginalisation, compte tenu notamment du poids démographique actuel et à venir de l'Afrique dans la communauté et dans le monde.

Les uns et les autres

La cohésion de la communauté francophone n'est pas acquise. Quatre décennies après son émergence dans l'histoire, elle n'a pas réussi à créer un espace culturel commun spécifique, des systèmes forts de circulation pour les créateurs et leurs œuvres, des événements culturels à large retentissement. Certes, comme nous l'avons documenté, l'OIF a été à l'origine ou a apporté son concours à une constellation impressionnante d'événements du domaine : festivals de cinéma, fêtes de la musique, rencontres théâtrales, marchés des arts du spectacle, salons du livre... Cette animation est toujours utile. Elle ne suffit cependant pas à créer un espace culturel commun. Cette ambition dépasse vraisemblablement les capacités et les moyens de l'Organisation. Elle n'en demeure pas moins une nécessité dans le nouvel espace culturel mondial. Comment donc y arriver ?

La création d'un espace culturel commun appelle en priorité un nouveau paradigme, une sortie radicale de la mentalité archaïque qui divise, en Francophonie, les uns et les autres. Il ne s'agit certes pas de plaider pour une fusion forcée et donc artificielle des créations et pour une négation des origines. Il s'agit cependant de les considérer comme des sources multiples alimentant une création enrichie par cette diversité et éclairée par l'usage d'une langue commune qu'on ne cesse de qualifier d'universelle.

Dans cette vision pour le XXIe siècle, il n'y a plus d'Hexagone et de périphérie, d'écrivains français et d'écrivains francophones, d'institutions réservées aux uns et inaccessibles aux autres, de prix et de reconnaissance qui se butent sur les frontières. Il faut relire Frédéric Martel sur l'inclusion dans la culture américaine et observer les évolutions en Grande-Bretagne concernant notamment l'espace culturel partagé par les écrivains utilisant la langue anglaise, qu'ils soient originaires du sud de l'Asie ou du sud du royaume. La France doit comprendre que « seule la Francophonie redonnera demain un statut mondial à la France », selon les termes d'un mémorandum confidentiel des services de l'Élysée adressé au président Sarkozy en préparation du Sommet de Québec. Pour leur part, les francophones du monde doivent comprendre que leurs efforts resteront vains sans l'apport déterminé de la France.

Le temps est venu d'un *aggiornamento* des comportements culturels des francophones, d'un changement de niveau et de nature de leurs ambitions. «L'Inde ne tient pas tout entière en une même place.» Telle doit être la vision des francophones à l'égard de leur communauté, leur vision et leur ambition. Alors, la masse critique qu'ils représentent leur permettra peut-être d'éviter la marginalisation. Si les anciennes lignes de partage et les divisions qu'elles dissimulent devaient perdurer, il faudrait alors désespérer de la possibilité même de conforter un espace et un marché culturel commun et renoncer à toute velléité d'occuper une place importante dans l'espace culturel mondial. La Francophonie et la langue française seraient alors en bien piètre situation.

Or, cet espace et ce marché culturels sont possibles et même indispensables. Certes, il ne s'agit pas de tout mutualiser et de tout agglomérer. Il s'agit de créer ensemble les instruments d'une action qui porte loin ses effets dans la communauté et dans le monde. Aucun pays francophone seul, y compris la France, ne pourra relever ce défi considérable. La France et ses partenaires de la communauté, les opérateurs des secteurs publics et privés rassemblés le pourraient. Nous avons proposé la tenue d'états généraux de la culture en Francophonie associant les pouvoirs publics, les créateurs, les dirigeants d'entreprises et les responsables des OING du domaine pour examiner les conditions d'émergence et de mise en œuvre de cet espace et de ce marché. Cette sortie de l'indifférence donnerait ses vraies finalités à la Convention sur la protection et la promotion de la diversité des expressions culturelles, qui autrement restera la plus formidable mais la plus théorique victoire de la Francophonie.

– Que peuvent et doivent faire entre elles et avec TV5Monde les télévisions publiques et privées des pays francophones pour créer ensemble, occuper leur rang et fidéliser les clientèles dans le nouvel espace culturel numérique mondial?

– Quels sont les événements culturels nationaux ou régionaux financés par les États membres de la Francophonie susceptibles, à quelques ajustements près, d'une diffusion dans la communauté et dans le monde? Et que faut-il leur ajouter pour qu'ils reflètent la pluralité des sources et l'usage d'une même langue?

– Quelle politique faut-il mettre en œuvre pour rendre disponible la production littéraire et scientifique en langue française sur le marché réel et virtuel?

– Quelles sont les manifestations culturelles d'envergure montrant la vitalité et la modernité de la création en langue française qui doivent circuler dans le monde?

La Francophonie ne tient pas tout entière en une même place!

Deux histoires complémentaires

La cohabitation d'une mission politique et d'une fonction de coopération a bouleversé l'ADN de la Francophonie ces deux dernières décennies. Il s'agit de deux histoires incomparables, la première axée sur la promotion et la protection de la liberté humaine, la seconde sur l'aménagement des conditions d'exercice de cette même liberté. Toutes les communautés comparables ont fait de ces deux histoires des composantes essentielles de leur identité.

L'une de ces histoires se laisse voir dans un système électoral pluraliste, une presse libre, un système judiciaire fort et indépendant, la sortie de crise et la reconstruction d'un État et d'une société brisés par un drame terrible, la mise en réseau des institutions nationales de promotion et de protection des droits humains. La liberté humaine est sa finalité.

L'autre se laisse voir dans un campus numérique, une bibliothèque publique, une petite centrale qui apporte l'eau et la lumière dans une communauté qui en était privée, une revue électronique, l'activité d'une ONG environnementale rendue possible par un modeste appui de la communauté, un centre de santé, une maison du savoir. Le développement humain est sa finalité.

L'une porte le message francophone dans les forums politiques internationaux et y défend notamment la diversité culturelle et linguistique, l'autre exprime les besoins de base des citoyens des sociétés membres auprès des institutions financières susceptibles d'apporter leur concours à l'édification d'écoles, de cliniques, de centres de lecture, de bourses d'études...

Ne nous demandez pas de choisir entre ces deux histoires complémentaires.

La Francophonie n'est pas dans ses discours, fussent-ils prononcés aux Sommets. Elle est dans les décisions et les ressources qui permettent la défense et la construction de la liberté humaine et dans l'aménagement des conditions de son exercice. Elle est dans cette profusion de réseaux qui la font vivre sur les cinq continents, dans cette vision du développement inclusif et durable qu'elle défend et cherche à mettre en œuvre. La langue française est le levier de cette entreprise de civilisation, le ciment du rassemblement qui cherche à la mettre en œuvre en privilégiant le respect de la diversité culturelle et linguistique, la primauté de la liberté humaine, la production et le partage du savoir et les exigences du développement durable et de la solidarité.

Nous avons exploré l'action de la Francophonie dans chacun de ces quatre domaines qui circonscrivent aujourd'hui sa philosophie et sa politique. Cette action est convaincante. Certes, le projet communautaire francophone n'est pas accompli, il ne le sera jamais. «Il serait naïf de croire que la Francophonie existe déjà, suicidaire de ne pas y participer[10]. » La formule de l'écrivain québécois Jacques Godbout exprime assez justement l'état du chantier francophone.

La Francophonie est en construction continue et elle le restera. Cependant, son positionnement dans la communauté internationale est aujourd'hui mieux affirmé et reconnu. Sa coopération s'est précisée, consolidée et structurée autour de quelques biens publics mondiaux. Elle a été confiée à un nombre restreint d'opérateurs, dont les activités et programmes ont acquis une pertinence et une qualité certaines. Enfin, sa gouvernance n'est plus en débat et son organisation capable de cohérence et de résultats. Cette appréciation ne diminue en rien l'obligation de vigilance commune à toutes les institutions publiques. Elle permet cependant d'envisager avec confiance les prochaines étapes et de proposer un changement d'échelle de ce que la Francophonie accomplit, compte tenu de la vive concurrence qui s'annonce dans le nouvel espace culturel mondial. Cette concurrence sera linguistique et culturelle. D'où la nécessité de hausser l'offre francophone dans ces domaines qui constituent la raison d'être de la communauté, lui donnent son sens et, pour l'essentiel, résument ses finalités.

La concurrence linguistique

La dimension linguistique des nombreuses démarches mondialistes qui se déploient dans le monde est incontestable. Elle en constitue un élément central affirmé avec constance, soutenu par des systèmes publics ambitieux et porté par des ressources considérables. Elle ouvre sur des perspectives inédites qui ont peu à voir avec la géolinguistique classique largement dominée par les langues européennes. Elle est devenue internationale et traduit les

---

10. Jacques Godbout et Richard Martineau, *Le buffet: Dialogue sur le Québec à l'an 2000*, Montréal, Boréal, p. 78.

ambitions de nouvelles puissances venues de toutes les régions du monde, et en priorité de l'Asie.

L'offre linguistique mondiale s'en trouve et s'en trouvera substantiellement enrichie dans les décennies qui viennent. Tel est déjà le cas dans de nombreux systèmes scolaires à tous les niveaux, concernant les exigences des États et des entreprises à l'endroit de certaines catégories de leur personnel et par rapport aux possibilités offertes aux individus désireux d'apprendre les langues étrangères. Le « tout anglais » et le « tout occidental » ne domineront pas le XXIe siècle. Pour la communauté francophone, cette évolution comporte des défis redoutables si son objectif est toujours de conserver et d'accroître le nombre de locuteurs de la langue française et de conforter son usage dans le plus grand nombre de domaines et de forums possibles. Or, comme nous l'avons établi, cette croissance et cette consolidation ne sont ni l'une ni l'autre assurées aujourd'hui, en dépit des efforts réels et considérables déployés par l'OIF et ses opérateurs et le travail accompli par certains pays membres, dont la France. D'où le sentiment d'un déclin qui irait s'accentuant et qui pourrait s'accélérer même dans certains pays de la communauté. Alors que faut-il faire ?

Tout d'abord il faut se doter d'une stratégie réaliste et ambitieuse tout à la fois, pour tirer parti des chances de développement au sein même de la communauté. D'où nos propositions concernant l'éradication de l'illettrisme dominant dans sa composante africaine et la définition et la mise en œuvre d'un pacte linguistique avec les pays qui s'y sont récemment joints. Tels sont deux des avantages comparatifs réalistes de la Francophonie. D'où aussi nos propositions concernant la création d'un programme majeur d'enseignement à distance de la langue française capable de répondre aux besoins des membres de la communauté et plus largement à la demande internationale. La Francophonie doit hausser son offre linguistique et la rendre accessible partout dans le monde. Dans la nouvelle concurrence linguistique mondiale, aucune demande de français ne doit rester sans réponse. Déjà les programmes de l'OIF, ceux de l'AUF et de TV5Monde préfigurent ce qui doit être accompli à un tout autre niveau.

La bataille des langues ne sera pas gagnée par des pétitions de principe, des jugements oiseux sur les autres langues, y compris la langue anglaise, ou des proclamations lyriques sur l'universalité de la langue française. La sortie de cette grande illusion est impérative comme l'est l'ardente obligation d'un sursaut pour maintenir les acquis et espérer, par un travail méthodique et durable, occuper modestement, mais constamment, une part sans cesse plus conséquente du vaste espace linguistique mondial.

La concurrence culturelle

Dans cette bataille des langues, la Francophonie dispose d'un avantage comparatif considérable tant ses gisements culturels sont multiples, riches et susceptibles de capter de vastes audiences dans le monde. Qu'il y ait pléthore de mémoires, de traditions, d'imaginaires, de chances de métissage, de récits possibles et de créations novatrices dans la communauté francophone constitue une évidence, un outil pour son rayonnement et son attractivité, y compris pour la langue qu'elle a en partage.

Dans la concurrence culturelle qui s'annonce, quelques grands ensembles dont le chinois, l'indien, l'américain – au sens des États-Unis d'Amérique –, l'anglais et ses sources asiatique et britannique bénéficient d'une masse critique considérable et de relais importants à travers le monde. Certes, la Francophonie ne ressemble à aucun de ces ensembles et, au plan culturel, elle apparaît bien fragmentée en comparaison ; elle l'est en effet. En conséquence, et malgré son capital immatériel considérable, l'offre qui est la sienne au plan mondial est au mieux occasionnelle et plus souvent inexistante. Si cette situation devait être irréversible, alors il faudrait renoncer à toute ambition d'occuper une place importante dans l'espace culturel mondial.

Dans les pages précédentes, nous avons évoqué la nécessité d'un espace et d'un marché culturels francophones et formulé quelques propositions susceptibles d'en amorcer les commencements. Il se pourrait que les acquis soient plus riches qu'on l'imagine. En effet, secteur après secteur, des manifestations et des marchés culturels existent et connaissent un rayonnement national et/ou régional certain. Ces derniers sont-ils susceptibles d'une mise en convergence ? Peuvent-ils être repensés dans la perspective d'une occupation progressive de l'espace culturel mondial ?

En ce qui concerne l'occupation de l'espace numérique dans un monde qui compte 1 milliard d'internautes, 1,5 milliard en 2025, les acquis sont peut-être, là aussi, plus considérables qu'on l'imagine. Cela a été observé dans les investissements de l'AUF, de TV5Monde, de l'AIMF, de l'IEPF, dans les travaux de l'IFN et concernant la mise en place et le développement du Réseau francophone des bibliothèques nationales numériques, cette initiative pionnière d'importance. Les mêmes questions se posent. Ces investissements sont-ils susceptibles d'une mise en convergence ? Peuvent-ils être repensés dans la perspective d'une occupation progressive de l'espace numérique mondial ?

Ces questions montrent assez le besoin d'une nouvelle délibération sur les fondements mêmes de la Francophonie et son positionnement au XXIe siècle.

La Francophonie est politique par nécessité et culturelle par essence. Ce n'est pas dévaluer sa dimension politique que de rappeler la primauté de la culture dans le projet francophone. En effet, à quoi donc servirait toute cette coopération d'influence qu'elle conduit avec succès si, par ailleurs, elle ne réussissait pas à assurer la protection et la

promotion de la diversité des expressions culturelles en son sein et à occuper une place importante dans le nouvel espace culturel mondial ? Si l'usage de la langue qui la rassemble devait se contracter ? « La rivière est plus vieille que le chemin », nous rappelle un ancien proverbe baoulé.

Bibliographie

ALEDO, Louis-Antoine, *Le droit international public*, Paris, Éditions Dalloz, 2005.

APPADURAI, Arjun, *Après le colonialisme: Les conséquences culturelles de la globalisation*, Paris, Payot, 2001.

ARNAUD, Serge, Michel GUILLOU et Albert SALON, *Les défis de la Francophonie: Pour une mondialisation humaniste*, Paris, ALPHARÈS, 2005.

ASSAYAG, Jackie, *La mondialisation vue d'ailleurs. L'Inde désorientée*, Paris, Le Seuil, 2005.

ATTALI, Jacques, *Une brève histoire de l'avenir*, Paris, Fayard, 2006.

AUF, *1er Rapport d'activités 2007.*

BARLOW, Julie et Jean-Benoît NADEAU, *La grande aventure de la langue française: de Charlemagne au Cirque du Soleil*, Montréal, Québec Amérique, 2007.

BAROU, Jacques, *La Planète des migrants. Circulations migratoires et constitution de diasporas à l'aube du XXIe siècle*, Grenoble, Presses universitaires de Grenoble, 2007.

BEER, Patrice de et Jean-Louis ROCCA, *La Chine à la fin de l'ère Deng Xiaoping*, Sarthe, Le Monde-Éditions, 1995.

BINDÉ, Jérôme (dir.), *Les clés du XXIe siècle*, Paris, UNESCO/Seuil, avril 2000 pour l'édition française.

BISSONNETTE, Lise, *La place et l'usage de la langue française aux Jeux olympiques d'hiver de Turin*, OIF, 2006.

BONFILS, Sibi et Sory DIABATÉ, *Une décennie de concertation francophone sur l'environnement et le développement durable à l'IEPF*, document interne.

BONIFACE, Pascal, *50 idées reçues sur l'état du monde*, Paris, Armand Colin, 2007.

BOURASSA, Robert, *Gouverner le Québec*, Montréal, Éditions Fides, 1995.

BUCHANAN, Patrick J., *Day of Reckoning: How Hubris, Ideology, and Greed Are Tearing America Apart*, New York, Thomas Dunne Books/St. Martin's Press, 2007.

CHOPRA, Anupama, *King of Bollywood, Shah Rukh Khan and the seductive World of Indian Cinema*, Warner Books, 2007.

DELORS, Jacques, (Rapport à l'UNESCO de la Commission internationale sur l'éducation pour le vingt et unième siècle, présidée par), *L'éducation: Un trésor est caché dedans*, Paris, UNESCO, Odile Jacob, 1996.

DENIAU, Jean-François, *Ce que je crois*, Paris, Grasset & Fasquelle, 1992.

DJIAN, Jean-Michel, *Léopold Sédar Senghor: Genèse d'un imaginaire francophone*, Paris, Gallimard, 2005.

DURAND, Yves, *Histoire générale de la Deuxième Guerre mondiale*, Bruxelles, Éditions Complexe, 1997.

ELLENBOGEN, Alice, *Francophonie et indépendance culturelle: Des contradictions à résoudre*, Paris, L'Harmattan, 2006.

EMMANUEL, Pierre, *Pour une politique de la culture*, Paris, Le Seuil, 1971.

FRÈCHES, José, *Il était une fois la Chine: 4 500 ans d'histoire*, Paris, XO Éditions, 2005.

GALLET, Dominique, *Pour une ambition francophone: Le désir et l'indifférence*, Paris, L'Harmattan, 1995.

GAYE, Adama, *Chine-Afrique, le Dragon et l'Autruche*, Paris, L'Harmattan, 2006.

GEREMEK, Bronislaw, *L'historien et le politique: Entretiens avec Bronislaw Geremek recueillis par Juan Carlos Vidal*, Montrichier, Éditions Noir sur Blanc, 1999.

GODBOUT, Jacques et Richard MARTINEAU, *Le buffet: Dialogue sur le Québec à l'an 2000*, Montréal, Boréal, 1998.

Gouvernement du Québec, *Le français, une langue pour tout le monde: Une nouvelle approche stratégique et citoyenne*, Québec, 2001.

HADDAD, Katia, *La Francophonie aujourd'hui et demain: En hommage à Léopold Sédar Senghor*, Beyrouth, Presses de l'Université Saint-Joseph, 2007.

HIRSI ALI, Ayaan, *Insoumise*, Paris, Éditions Robert Laffont, 2005.

HOBSBAWM, Eric J., *Les enjeux du XXIe*, Paris, Éditions Complexe, 2000.

IBRAHIM, Anwar, *The Asian Renaissance*, Singapore, Times Books International, 1996.

IEPF, *Faits marquants dans les activités de la période 2002-2005*, document interne.

ITOH, Fumio (ed.), *China in the twenty-first century: Politics, economy, and society*, Tokyo, United Nations University Press, 1997.

JOSPIN, Lionel, *Le monde comme je le vois*, Paris, Gallimard, 2005.

KATTAN, Naïm, *La Réconciliation: à la rencontre de l'autre*, Montréal, Hurtubise HMH, 1993.

KISSINGER, Henri, *Does America Need a Foreign Policy? Toward a Diplomacy for the 21st Century*, New York, Simon & Schuster, 2001.

LASSONDE, Louis, *Les défis de la démographie: Quelle qualité de vie pour le XXIe siècle?*, Paris, La Découverte, 1996.

LE BRIS, Michel et Jean ROUAUD (dir.), *Pour une littérature-monde*, Paris, Gallimard, 2007.

LECLERC, Gérard, *La mondialisation culturelle: les civilisations à l'épreuve*, Paris, PUF, 2000.

LÉGER, Jean-Marc, *Le Temps dissipé: souvenirs*, Montréal, Hurtubise HMH, 1999.

LEPRETTE, Jacques, *Une clef pour l'Europe*, Bruxelles, Bruylant, 1994.

MAALOUF, Amin, *Un défi salutaire: comment la multiplicité des langues pourrait consolider l'Europe*, Propositions du Groupe des Intellectuels pour le Dialogue Interculturel constitué à l'initiative de la Commission Européenne, Bruxelles, 2008.

MAHBUBANI, Kishore, *The new Asian hemisphere: the irresistible shift of global power to the East*, New York, Public Affairs, 2008.

MAHBUBANI, Kishore, *Can Asians Think? Understanding the Divide Between East and West*, Singapour, Times Books International, 1999.

MARTEL, Frédéric, *De la culture en Amérique*, Paris, Gallimard, 2006.

MAURER, Bruno, *De la pédagogie convergente à la didactique intégrée: Langues africaines-langue française*, Paris, L'Harmattan, 2007.

MAURIAC, François, *Le nouveau bloc-notes, 1961-1964*, Paris, Flammarion, 1968.

MICHNIK, Adam, *Penser la Pologne: Morale et politique de la résistance*, Paris, La Découverte, 1983.

MISHRA, Pankaj, *Désirs d'Occident: La modernité en Inde, au Pakistan, au Tibet et au-delà*, Paris, Buchet/Chastel, 2007.

MISSIKA, Jean-Louis, *La fin de la télévision*, Paris, Éditions du Seuil et La République des Idées, 2006.

OIF (Organisation internationale de la Francophonie), Allocution de monsieur Abdou Diouf, Cérémonie d'ouverture de la 33ᵉ session ordinaire de l'Assemblée parlementaire de la Francophonie, Libreville, le 5 juillet 2007.

OIF, Allocution de monsieur Abdou Diouf, *Le français dans les organisations internationales – Le défi du multilinguisme*, Grand-Duché de Luxembourg, 25 octobre 2007.

OIF, *Abdou Diouf et Louise Arbour appellent les États membres de l'OIF à la ratification des instruments internationaux relatifs aux droits de l'homme et à leur mise en œuvre*, Communiqué, 10 décembre 2007.

OIF, *Charte de la Francophonie*, Paris, 2005.

OIF, *Convention et Charte*, Paris, 1991.

OIF, *Déclaration de Bamako*, Paris, 2000.

OIF, *Francophonie et démocratie, Textes de références*, Paris, Éditions Pedone, 2003.

OIF, *Francophonie et Éducation, Actes de la troisième session du Haut Conseil de la Francophonie de l'Organisation internationale de la Francophonie*, Paris, 16 et 17 janvier 2006.

OIF, *Francophonie, démocratie et droits de l'Homme, Actes de la deuxième session du Haut Conseil de la Francophonie de l'Organisation internationale de la Francophonie*, Paris, 24 et 25 janvier 2006.

OIF, *La Francophonie dans le monde – 2004-2005*, Paris, Larousse, 2005.

OIF, *La Francophonie dans le monde – 2006-2007*, Paris, Nathan, 2007.

OIF, *L'IEPF, 10 ans après. Quel bilan, quelles perspectives?* Actes du Colloque international, Québec, 30-31 mars 1999, Québec, Marquis, 2000.

OIF, *Prévention des conflits et Sécurité humaine: Déclaration de Saint-Boniface*, 2006.

OIF, *Rapport du Secrétaire général de la Francophonie, De Ouagadougou à Bucarest, 2004-2006*, Paris, 2006.

Organisation Mondiale de la Propriété Intellectuelle, *Rapport de l'OMPI sur les brevets: Statistiques sur l'activité-brevets dans le monde (édition 2007)*, Genève, 2007.

Paz, Octavio, *Lueurs de l'Inde*, Paris, Gallimard, 1997.

Picquart, Pierre, *L'empire chinois. Mieux comprendre le futur numéro 1 mondial: histoire et actualité de la diaspora chinoise*, Lausanne, Favre, 2004.

Phillipson, Robert, *Linguistic Imperialism*, Oxford, Oxford University Press, 1993.

Porter, Bernard, *Empire and Superempire: Britain, America, and the World*, New Haven et Londres, Yale University Press, 2006.

PricewaterhouseCoopers (Wilkofsky Gruen Associates Inc.), *Global Entertainment and Media Outlook: 2004-2008*, New York, PricewaterhouseCoopers LLP, 2004.

Raymond, Jean-François de, *L'action culturelle extérieure de la France*, Paris, La documentation française, 2000.

Rocard, Michel, *Si la gauche savait: Entretiens avec Georges-Marc Benamou*, Paris, Robert Laffont, 2007.

Roy, Arundhati, *Le coût de la vie*, Paris, Gallimard, 1999.

Roy, Jean-Louis, *Technologies et géopolitique à l'aube du XXIᵉ siècle*, Montréal, Hurtubise HMH, 2003.

Roy, Jean-Louis, *L'enchaînement des millénaires: journal de l'an 2000*, Montréal, Hurtubise HMH, 2001.

Roy, Jean-Louis, *Le monde en 2020: Pour une culture de la délibération*, Montréal, Fides, 1999.

Roy, Jean-Louis, *La Francophonie: le projet communautaire*, Montréal, Hurtubise HMH, 1993.

Saint-Cheron, Michaël de, *Entretiens avec Emmanuel Levinas, 1992-1994*, Paris, Librairie Générale Française, 2006.

Sall, Amadou Lamine, *Senghor, ma part d'homme*, Dakar, Les éditions feu de brousse, 2006.

Schlesinger, Arthur M. Jr., *La désunion de l'Amérique*, Paris, Nouveaux Horizons, 1993.

Segond, Guy-Olivier, « De la fracture numérique à la solidarité numérique : un succès de la Francophonie », dans *La Francophonie dans le monde – 2006-2007*.

Selvadurai, Shiam, *Story-Wallah! A Celebration of South Asian Fiction*, Toronto, Thomas Allen Publishers, 2004.

Simon, Sherry, *Le Trafic des langues : traduction et culture dans la littérature québécoise*, Montréal, Boréal, 1994.

Singh, K. Natwar, *The Argument for India*, The Inaugural India Lecture, Brown University, 23 septembre 2005.

Védrine, Hubert, *Rapport pour le président de la République sur la France et la mondialisation*, Paris, Fayard, 2007.

Walt, Stephen M., *Taming American Power : The Global Response to U.S. Primacy*, New York, Norton, 2005.

Wilson, Andrew Norman, *After the Victorians : The decline of Britain in the World*, New York, Farrar, Straus & Giroux, 2005.

Wolton, Dominique, *Demain la francophonie*, Paris, Flammarion, 2006.

Table des sigles

ACCT	Agence de coopération culturelle et technique
ADSL	Liaison numérique à débit asymétrique
AFIDES	Association francophone internationale des directeurs d'établissements scolaires
AIMF	Association internationale des maires francophones
AIPLF	Assemblée internationale des parlementaires de langue française (devient l'APF en 1998)
ANASE	Association des nations de l'Asie du Sud-Est
APF	Assemblée parlementaire de la Francophonie
AUF	Agence universitaire de la Francophonie
BAD	Banque africaine de développement
BRIC	Brésil, Russie, Inde et Chine
CCTV	China Corporation Television
CEEA	Communauté européenne de l'énergie atomique
CLAC	Centres de lecture et d'animation culturelle
CONFEJES	Conférence des ministres de la Jeunesse et des Sports des États et gouvernements ayant le français en partage
CONFEMEN	Conférence des ministres de l'Éducation des pays ayant le français en partage
CONFRECO	Conférence régionale des recteurs des universités membres de l'AUF en Europe centrale et orientale
CPLP	Communauté des pays de langue portugaise
CREFECO	Centre régional francophone pour l'Europe centrale et orientale
EIER	École inter-États d'ingénieurs de l'équipement rural

ENSP	École nationale supérieure polytechnique
FIPF	Fédération internationale des professeurs de français
GATT	Accord général sur les tarifs douaniers et le commerce
IEPF	Institut de l'énergie et de l'environnement de la Francophonie
IFN	Institut de la Francophonie numérique
INTIF	Institut des nouvelles technologies de l'information et de la communication devenu depuis l'Institut de la Francophonie numérique (IFN)
MERCOSUR	Marché commun du Sud
MIDEM	Marché international du disque, de l'édition musicale et de la vidéo musique
OEI	Organisation des États ibéro-américains
OIF	Organisation internationale de la Francophonie
OING	Organisation internationale non gouvernementale
OMC	Organisation mondiale du commerce
OMPI	Organisation mondiale de la propriété intellectuelle
OMS	Organisation mondiale de la santé
ONG	Organisation non gouvernementale
OTAN	Organisation du Traité de l'Atlantique Nord
PASEC	Programme d'analyse des systèmes éducatifs
PNUD	Programme des Nations Unies pour le développement
RDC	République démocratique du Congo
RINT	Réseau international de néologie et de terminologie
RIPC	Réseau international pour les politiques culturelles
SADC	Communauté pour le développement de l'Afrique australe
TIC	Technologies de l'information et des communications
UNESCO	Organisation des Nations Unies pour l'éducation, la science et la culture
UNICEF	Fonds des Nations Unies pour l'enfance

Publications citées

Les Affaires
Bloomberg News
China Daily
Commentaire
L'Expansion
The Financial Times
Foreign Affairs
Fortune
The Globe and Mail
International Herald Tribune
Le Monde
National Post
New York Times
Le Soleil (Dakar)
Times Magazine
The Wall Street Journal
Wired

TABLE DES MATIÈRES